Nov 9

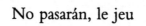

No pasarán, le jeu

Christian Lehmann

No pasarán, le jeu

Médium

11, rue de Sèvres, Paris 6ᵉ

Du même auteur à *l'école des loisirs*

Le crocodile de la bonde, collection Mouche
Pomme et le magasin des petites filles pas sages, collection Mouche
Taxi et le bunyip, collection Mouche

© 1996, l'école des loisirs, Paris
Loi n° 49.956 du 16 juillet 1949 sur les publications
destinées à la jeunesse: septembre 1996
Dépôt légal: septembre 1996
Imprimé en France par la Société Nouvelle Firmin-Didot
au Mesnil-sur-l'Estrée (35887)

À Didier Daeninckx
et Bernard Baudot

Ils n'auraient jamais dû trouver la boutique. Thierry avait mal recopié l'adresse, griffonnant quelques lignes presque illisibles sur le dos d'un ticket du métro londonien, sans savoir qu'arrivés à destination, le préposé au guichet le leur confisquerait. À la sortie de l'escalator, ils s'étaient retrouvés coincés tous les trois dans la foule agglutinée devant le portillon :

– Il faut donner le ticket! avait crié Andreas. Je t'avais bien dit de le noter ailleurs! T'es vraiment trop con!

Tandis qu'Andreas insultait Thierry, Éric en avait profité pour mémoriser l'adresse : GAMES FRENZY! 125, Upper Tollington Court Road.

GAMES FRENZY! clamait l'affichette artisanale plaquée sur un poster annonçant le dernier film d'action de Bruce Willis. «FRÉNÉSIE DU JEU!» avait immédiatement traduit Éric. «Regardez ça...»

Andreas et Thierry, qui le précédaient de quelques pas, firent demi-tour, s'immobilisant dans le flux des passagers sur le quai. Éric jeta un coup d'œil à ses camarades pour s'assurer qu'ils l'avaient bien entendu, se colla contre le mur pour laisser passer la foule.

Tandis que Thierry s'effaçait pour éviter de gêner une dame portant un enfant dans ses bras, Andreas marcha droit devant lui, bousculant deux ou trois personnes sans s'excuser. À dix-sept ans, il avait l'air d'un véritable colosse, et dépassait d'une tête rasée la plupart des passagers. L'un d'entre eux, un homme d'une quarantaine d'années, se retourna pour protester, mais se ravisa quand son regard croisa celui d'Andreas.

— Qu'est-ce que tu as déniché, nabot? dit ce dernier en se plantant devant Éric.

— Une publicité! une publicité pour un magasin de jeux qui a l'air absolument génial!

— Ah ouais…

Andreas toisait l'affichette, plissant les yeux d'un air intéressé. Il était nul en anglais, comme dans la plupart des matières d'ailleurs, et pour éviter de lui faire ressentir son infériorité, Éric improvisa une traduction française :

— «FRÉNÉSIE DU JEU»… c'est le nom du magasin… «À quelques minutes du métro, en plein cœur de Londres, la boutique dont vous avez toujours rêvé!… Tous les jeux, pour tous les formats, aux meilleurs prix! De la Gameboy à la Playstation en passant par le CD-Rom, nous avons tout en stock! À des prix super compétitifs! Arrivages quotidiens d'Europe et d'Amérique! En cadeau pour tout achat dépassant 20 livres, un CD-Rom original des meilleurs niveaux de DOOM!»

— DOOOOOOMMMM… murmura Andreas, les yeux révulsés.

— Ne comptez pas sur moi pour vous

suivre là-bas, coupa Thierry. Vu l'affiche, ça doit être une boutique de seconde zone. Je parie qu'ils ne vendent que des produits piratés. C'est interdit par la loi, et on risque jusqu'à cinq ans de prison…

— DOOOOOOMMMM… répéta Andreas, un ton au-dessous, en lançant des mains crochues vers la gorge de Thierry.

— Arrêtez vos conneries! On va se faire remarquer…

Le quai était désert, mais Éric était fatigué, après une journée de marche à travers Londres, des blagues d'Andreas et des plaintes constantes de Thierry. Il pensa un moment à Elena, restée au prieuré avec le groupe bleu, et se demanda où elle était à présent. C'était leur deuxième et avant-dernier jour dans la capitale. Hier, ils avaient visité Tower Bridge, et la Tour de Londres, et le musée de cires de Mme Tussaud. Andreas avait particulièrement apprécié la salle des horreurs, et Éric lui-même n'avait pu se défaire d'une certaine fascination en arpentant la reconstitution des ruelles autrefois hantées par

Jack l'Éventreur. Mais le programme d'aujourd'hui était d'un tout autre ordre, et profitant de la répartition de la classe en deux groupes, Andreas et Éric avaient réussi à échapper à la vigilance de leurs professeurs et à éviter la visite de Westminster ou du Parlement britannique.

Au moment où leurs compagnons montaient dans les deux autobus affrétés par le lycée, Andreas avait kidnappé Thierry, l'avait entraîné dans les toilettes tandis qu'Éric faisait le guet.

— Tu viens avec nous ! On va se promener dans Londres toute la journée, tranquillement, sans les profs…

— Mais vous êtes fous ! Ça va se remarquer… Et j'ai envie de voir… Aïe !

Andreas frotta rapidement ses phalanges sur le haut du crâne de Thierry, juste à l'endroit où cela faisait le plus mal, puis caressa son front d'une main consolatrice :

— Tu devrais nous remercier, mon rat ! Grâce à nous, tu vas vivre la plus belle journée de ta triste vie !

— Mais j'ai promis à ma mère de lui rapporter des cartes postales de Westminster Abbey, et puis...

— Allez, allez, tu ne vas pas te mettre à chialer, en plus!

Andreas le relâcha d'un air dégoûté:

— Tes deux meilleurs amis essaient de t'associer à une virée unique dans l'histoire du lycée, et tu voudrais les laisser tomber. Tant pis pour toi, mon rat! On ne va pas jeter des diamants aux pourceaux...

Thierry leva un regard suppliant vers Éric, tentant de convaincre son camarade de la folie de leur entreprise, mais celui-ci, planqué dans l'entrebâillement de la porte des toilettes, détourna les yeux. C'est alors, au bout du couloir, qu'il vit Elena, découpée en ombre chinoise dans un rayon de soleil. Quelque chose explosa dans sa poitrine, et ses genoux mollirent brutalement. Elle disparut à l'extérieur. Il sentit confusément que Thierry le tirait par la manche, se retourna:

— Dis-lui que c'est une ânerie! Si un prof remarque notre absence…

— Andreas a raturé nos noms sur les deux listes hier soir, expliqua Éric calmement. Chacun croira que nous sommes dans l'autre groupe.

— Et ce soir? demanda Thierry en remettant ses lunettes en place d'un geste fébrile, vous y avez pensé à ce soir? Si les profs parlent entre eux et…

— Ah, c'est pas vrai, maugréa Andreas. Fais-moi plaisir… Plonge la tête dans les toilettes et tire la chasse, tu m'épuises…

Éric s'effaça, ouvrant la porte pour laisser le passage à son camarade. Le désarroi de Thierry était comique à voir.

— Comprenez-moi, les gars. Ce n'est pas que je n'apprécie pas l'idée… mais si jamais quelqu'un s'en aperçoit, ou si on nous cafte…

Andreas renifla. Sa bouche se tordit sur un sourire sardonique:

— Me cafter, moi… Tu connais beaucoup de candidats au suicide dans la classe?

Au-dehors, le moteur de l'autobus ronfla. Ils entendirent distinctement le chuintement de la porte avant.

Thierry fit quelques pas en avant, se retourna vers eux comme pour une dernière excuse… Ses lèvres tremblaient.

Éric eut pitié de lui, faillit lui dire que ce n'était pas grave, qu'il ne lui en voulait pas. Mais Thierry arrachait soudain sa casquette et son écharpe, les jetait à terre en criant:

– Bon, bon, d'accord! Je viens avec vous! Je n'en ai rien à faire des cartes postales de Westminster Abbey!

Andreas lui tapa affectueusement sur l'épaule:

– Ben tu vois, mon rat! Quand tu veux, tu peux…

La foule les entraînait vers le guichet de sortie du métro. 125, Upper Tollington Court Road… Éric tentait de mémoriser l'adresse. L'idée d'avoir fait tout le chemin jusqu'ici et d'échouer si près du but le rendait fébrile. Le contrôleur les délesta de leurs tickets sans même un geste de reconnaissance, et Éric sentit remonter en lui ce sentiment de rage et d'impuissance que lui inspirait souvent le monde des adultes. Ils gravirent un escalier interminable – Éric songea que le métro londonien était sans doute par endroits suffisamment profond pour côtoyer les faubourgs de l'enfer – et débouchèrent enfin à l'air libre, sous un ciel sombre. En l'espace d'une demi-heure, le temps de leur trajet vers Sainsbury Park, au nord de Londres, le soleil de l'après-midi s'était caché pour laisser place à un couvercle obscur.

– Oh là là… gémit Thierry. On ne sera jamais rentrés à temps.

Andreas l'empoigna par le col, le poussa délicatement en avant. Les pieds de Thierry touchaient à peine le sol.

– On y est presque. Ce serait idiot de faire demi-tour maintenant.

– Il a raison, dit Éric. C'est à deux pas… à deux pas du métro.

Sa voix tremblait d'excitation. Sa bouche était sèche. Il croisa le regard de ses camarades, et vit qu'eux aussi, même Thierry, partageaient la même impatience. Une nouvelle boutique, aux trésors insoupçonnés! Au fond de lui-même, Éric s'attendait à essuyer une déception. La boutique, malgré les promesses de l'affiche, ne recèlerait sans doute que quelques jeux dépareillés en fin de stock. Mais pour l'instant, tout était encore possible, tout faisait encore partie du domaine du merveilleux, et ils se sentaient tous trois, à l'aube de leur adolescence, transportés en arrière dans le temps, vers ces fébriles matins de Noël où, brusquement éveillés dans la maison silencieuse, ils avaient dû faire un effort pour ne pas crier de joie. Avec les années, ces petites épiphanies s'étaient faites moins fréquentes, et, observant son frère Gilles et sa mère, Éric avait eu l'intuition amère que cela n'irait qu'en empirant. Avec l'âge, ces moments de bonheur pur se raréfieraient, pour un jour disparaître. *Alors*, se disait-il dans ses moments de cafard, *je serai devenu adulte*. Cette perspective le rebutait.

Ils parcoururent d'un pas vif les environs du métro, gravissant une rue en pente raide, jetant un œil dans des ruelles. Les rares boutiques qu'ils croisaient laminaient leur courage. Épiceries de produits exotiques vantant les mérites de lotions capillaires miracles, magasins d'électronique entassant sur le trottoir des carcasses d'électrophones surmontées de pancartes mal orthographiées, bureaux de poste minables aux vitres crasseuses. Ils avaient quadrillé le secteur depuis vingt minutes, étaient maintenant couverts de sueur, mais ne s'étaient pas résolus à demander de l'aide à un passant, par esprit de contradiction, bien sûr, mais aussi parce qu'aucun d'entre eux ne se sentait capable d'énoncer une adresse aussi complexe. Si seulement cette boutique avait pu se nicher dans Dog Street, ou Milk Road, et pas dans…

– Lower Tollington Court Road… dit Thierry en levant la main vers un petit écriteau mangé par la vigne vierge.

– Et alors? maugréa Andreas. C'est pas l'adresse qu'on recherche…

– Non, non, attends. Lower, ça veut dire plus bas… Upper, ça veut dire plus haut… On est sûrement tout près.

– On est peut-être tout près, mais il est six heures moins le quart. Je te parie qu'on va trouver porte close…

Avec l'énergie du désespoir, ils se mirent à courir au milieu de la chaussée dans Lower Tollington Court Road, s'arrêtant à chaque embranchement pour repartir, déçus. Ils avaient parcouru un bon kilomètre en demi-cercle quand, se dirigeant au hasard, Éric marcha sur un prospectus qui colla à sa chaussure. Il faillit déraper sur l'asphalte poisseux, se pencha le temps d'arracher le papier. Un instant, comme dans un dessin animé, ses yeux se fixèrent sur les quelques lettres encore visibles sous la trace de sa chaussure boueuse:

GAMES FR... et sur l'ébauche d'un plan du quartier.

— Je l'ai, je l'ai, dit-il, mais le vent arracha le prospectus, et Andreas dut retenir Éric pour l'empêcher de s'affaler à terre.

— Le papier! Le papier! hurla Éric, tandis que ses compagnons, médusés, le regardaient s'agiter.

Une bourrasque emporta la feuille souillée, l'éleva dans les airs. Éric, le nez en l'air, mit un pied sur la chaussée. Une voiture le frôla, faisant gicler dans ses chaussures l'eau glacée du caniveau. Il n'y prêta pas attention, traversa la rue comme un zombie, suivi par ses deux camarades. Le prospectus s'accrocha aux branches d'un arbre, glissa vers le sol pour filer entre deux voitures en stationnement et s'engouffrer dans une ruelle. Ils tournèrent au coin de la rue, balbutiant des insultes incohérentes.

Deux entrepôts abandonnés flanquaient de part et d'autre la boutique. Le prospectus vint se coller un instant à la porte de verre, puis continua sa course dans l'obscurité. Muets de stupeur, Éric, Andreas et Thierry avancèrent comme des automates vers la façade illuminée. Dans la vitrine, les boîtes de jeu aux couleurs vives, les posters somptueux accrochaient leur regard. Ici, sous le logo MECHWARRIOR 2, un robot désintégrateur haut comme un immeuble de dix étages émergeait d'un océan de flammes et d'explosions. Là, un guerrier du chaos vêtu d'un simple pagne, le corps zébré de griffures sanglantes, fendait d'un revers d'épée à deux mains les crânes difformes d'une demi-douzaine d'orcs aux gueules luisantes de bave. Ici encore, deux adorables créatures loufoques à chevelure verte, animées par un ressort invisible, montaient et descendaient le long de la vitrine, agrippées à un parapluie multicolore.

– C'est trop géant… gémit Andreas d'une voix d'enfant. En général, c'est à ce moment-là que je me réveille.

Ce n'était pas un rêve. La poignée était solide, résista même une seconde. Éric poussa de tout son poids, et la porte céda enfin. Il reconnut l'odeur de la boutique, inexplicablement. L'odeur des matins de Noël, des emballages en cellophane luisant sous le papier cadeau déchiré, des paquets ouverts exhalant le propre et le neuf, l'inconnu. Ils restèrent groupés sur le seuil un instant, comme hésitant à rompre la magie de l'endroit. Puis se séparèrent, timidement. Thierry ôta sa casquette, son écharpe. Du coin de l'œil, Éric le vit faire, songea que c'était probablement à cause de la chaleur. L'effet évoquait plus sûrement un croyant pénétrant dans une église. Il se concentra sur l'étalage devant lui, leva lentement la main vers une boîte de jeu, repoussant l'instant du contact. *C'est idiot*, songea-t-il un instant, *ce ne sont que des jeux sur ordinateur, pas le Sacré Graal…* Mais cette pensée ne fit que traverser son esprit, et il glissa la boîte hors de son logement avec précaution, presque avec révérence. À l'intérieur de la boutique, le temps alors n'eut plus cours.

– Regarde ça… chuchota Thierry.

Tiré de sa contemplation, Éric se tourna vers son camarade. Ils étaient les trois seuls clients dans la boutique.

– FALL OF STALINGRAD. Un jeu de stratégie révolutionnaire, basé sur le siège de la ville par les Allemands en 1942. Avec une simulation hyperréaliste des conditions météorologiques, une revue encyclopédique de tous les blindés disponibles des deux côtés, et un indice hyperréaliste de découragement et de famine des assiégés. Je ne savais même pas qu'il était sorti… Et toi, qu'est-ce que tu as trouvé ?

– C'est la suite de FLASH-BACK, tu sais, les aventures de Conrad Hart. Il a été capturé par les Morphs du mal, à la fin de l'épisode précédent, mais il est délivré par la fille du chef des Résistants du bien…

Éric traduisait l'anglais à voix basse, fébrilement.

– Ça s'appelle FADE TO BLACK, et ça contient énormément d'améliorations techniques. L'ancien jeu de plate-forme donne maintenant la place à une aventure inouïe sur plus de quatorze niveaux, en trois dimensions, avec modification des angles de prises de vue lors des confrontations avec les guerriers de l'espace!

– Ça a l'air extra, commenta Thierry.

Éric fit la moue.

– Qu'est-ce qu'il y a?

– Tu as vu les prix? demanda Éric.

Thierry retourna la boîte, en inspecta la tranche, en vain.

– Les prix ne sont pas marqués...

– Oui. Mais je vais te dire une chose... Tout ce que tu vois autour de toi, c'est du matériel neuf, hyperneuf. Il n'y a pas de bourse d'échange, ni de matériel d'occasion, ni même d'anciens jeux décotés. Uniquement des nouveautés, dont certaines ne sont même pas censées être encore sorties en Europe. Regarde... dit-il en montrant les boîtes de ULTIMA XII et de QUAKE II. Ça doit être importé directement des États-

Unis. Je ne savais pas que ces jeux étaient disponibles. J'ai beau éplucher toutes les revues françaises et anglaises que je déniche, je ne savais même pas que certains de ces jeux existaient, ni même qu'ils étaient en production. Alors crois-moi, on doit être dans une boutique hyperspécialisée, et si les prix ne sont pas marqués sur les boîtes, c'est parce que...

Éric mima un coup de marteau sur sa propre tête.

— Écoute, coupa Thierry... il n'y a qu'à demander...

Éric hocha la tête.

— Ça te plairait de jouer avec moi à FALL OF STALINGRAD ?

— Pourquoi pas...

— Mais tu n'as pas assez pour ton jeu ?

— Je n'ai que vingt livres, avoua enfin Éric.

Il allait reposer la boîte sur son présentoir, mais Thierry s'en saisit.

— Demande d'abord le prix... Et puis si tu es un peu léger...

Il fit demi-tour vers le comptoir, laissant Éric en plan avec ses remerciements.

Andreas, accroupi devant un présentoir, semblait les avoir oubliés. Incapable de lire l'anglais, il fixait les illustrations de couverture, retournait les boîtes pour mieux détailler les petites captures d'écran, tentant d'imaginer ce que les scènes de carnage qu'il affectionnait particulièrement donneraient sur son écran géant de 17 pouces. Une nouvelle réglementation était née depuis 1994, importée des USA, qui attribuait à chaque jeu une codification selon son niveau de violence. Elle avait été rapidement détournée par les éditeurs des jeux les plus brutaux, qui s'enorgueillissaient aujourd'hui de proposer une gamme de programmes tous plus bestiaux les uns que les autres. Les publicités dans les magazines de jeux abusaient de ce procédé, vantant chaque nouveau dépassement dans le gore comme une avancée libératrice. Tout en feignant de respecter la législation, certains éditeurs incluaient

maintenant à l'intérieur même du jeu un para-
métrage permettant de choisir soi-même le
niveau de boucherie désiré. Andreas adorait
pousser les choses d'emblée au maximum, traitant ses deux camarades moins portés sur l'hé-
moglobine de larves et de trouillards. Il se
vantait à qui voulait l'entendre d'avoir terminé
sans utiliser aucun code de tricherie, sans utiliser l'invulnérabilité ni des suppléments d'armes
ou de munitions, *le* jeu mythique : DOOM, au
niveau maximum de violence. Éric doutait
que cela fût possible. Et imaginer Andreas, la
nuit, seul devant son écran, les écouteurs sur
les oreilles, traversant des heures durant les
immenses niveaux de DOOM, bazooka ou fusil
à pompe en main, en nageant dans les débris
de cervelle de ses ennemis avec ce regard
brillant qu'Éric lui avait aperçu quelquefois,
n'avait rien de rassurant.

L'homme derrière le comptoir ne ressemblait à rien de ce qu'Éric aurait pu imaginer.
La plupart des propriétaires de magasins de

jeux informatiques étaient eux-mêmes des joueurs, ou d'ex-joueurs, branchés sur cet univers depuis l'enfance. Peu d'entre eux dépassaient la quarantaine. Éric connaissait bien dans son entourage quelques joueurs et quelques boutiquiers plus âgés. Certains frisaient la soixantaine, et, sans en avoir conscience, rassuraient Éric, qui n'imaginait pas d'arrêter un jour le jeu, sur son avenir. Mais avec l'âge, ces vénérables anciens s'orientaient le plus souvent vers des jeux de stratégie pure, comme les aimait Thierry, ou vers des jeux de rôles ou d'aventures médiévales pleins de hobbits et de créatures féeriques qui donnaient la nausée à Andreas.

L'homme derrière le comptoir devait avoir dépassé les quatre-vingts ans. Vêtu d'un chandail grenat qui cachait mal l'usure de sa chemise, il semblait somnoler derrière sa caisse enregistreuse. Un grand journal était déplié sur ses genoux. Une tasse de thé fumante posée sur le comptoir de bois avait laissé au fil des années une série d'auréoles sombres. Éric songea un instant à la Belle au bois dormant.

— Excusez-moi, monsieur... commença Thierry d'une voix timide, dans un anglais quasiment parfait.

L'homme releva les yeux, mais ses lunettes et ses sourcils broussailleux cachaient son regard.

— Pourriez-vous me donner le prix de cet article ?

Éric se retint de sourire. Thierry avait appris par cœur les leçons d'anglais audiovisuel que leur infligeait Mrs Levine, leur professeur depuis la cinquième, et pouvait reproduire à la perfection l'intonation de la bande-son, du moment qu'il n'avait pas à faire un réel effort de syntaxe ou d'imagination.

— Certainement, dit le vieillard. Ce n'est pas marqué dessus ?

Le rouge vint aux joues d'Éric, en même temps que son cœur se mettait à battre la chamade. *Il n'y connaît rien, c'est évident,* songea-t-il, *ce vieux n'y connaît rien du tout ! Il est sans doute juste là pour garder la boutique avant la fermeture !*

La même idée dut traverser l'esprit de Thierry, qui échangea avec lui un regard furtif.

Le vieil homme tendait la main par-dessus le comptoir. Thierry lui abandonna les boîtes de jeu. Il toussa, ajusta ses lunettes, retourna les boîtes, très lentement.

— Effectivement, les prix ne sont pas indiqués…

Toujours très lentement, le vieil homme sortit d'un casier un registre recouvert de toile, compulsa une liste de noms. Éric songea qu'utiliser encore un système aussi vieillot et inefficace dans un magasin informatique était un comble. Alors seulement, il réalisa qu'il n'y avait aucun ordinateur dans la boutique. Ni sur le comptoir, pour saisir les commandes et les achats, ni en vitrine, ni en démonstration.

— Je ne les vois pas sur mon barème, dit enfin le vieil homme d'un air ennuyé.

Les deux garçons se turent.

— Si vous reveniez demain, je pourrais…

— Nous sommes français, dit Thierry. Nous repartons demain avec le lycée.

– Français? dit le vieil homme.

Quelque chose brilla dans ses yeux.

Thierry acquiesça.

– Écoutez, c'est un peu particulier. Je vous les propose au tarif des promotions. 5,99 livres chacun.

Au tarif du change, cela faisait un jeu à moins de 50 francs, le prix habituel de vieilles compilations de jeux injouables datant des années 80. Soit le vieillard n'y connaissait vraiment rien, soit cette boutique était l'endroit le plus extraordinaire de la planète.

– Merci beaucoup, dirent Éric et Thierry en chœur.

Leur voix tremblait un peu. Ils ressentaient une profonde gratitude pour le vieil homme, mêlée à l'horrible sentiment de tirer profit de sa faiblesse.

Les deux boîtes de jeu disparurent dans un sac en papier. Éric songea soudain qu'à ce tarif ils pourraient dévaliser la boutique, mais n'osa pas en rajouter. Il tendait un billet au vieil homme quand Andreas réapparut :

— Putain, c'est trop bonnard! Regardez ce que j'ai trouvé! MORTAL KOMBAT 5! Mate un peu les écrans!

Il colla la boîte noire, maculée de traînées rouges, sur le visage d'Éric, qui aperçut quelques scènes sanguinolentes aussi malsaines qu'invraisemblables.

— Demande-lui le prix, ordonna vivement Andreas.

Thierry obtempéra.

Le vieil homme tendit la main, inspecta la boîte:

— 39,99 livres.

— Merde, c'est pas donné... Tu peux me prêter 10 livres?

Thierry hésita.

— Allez, fais pas chier. C'est pas tous les jours qu'on tombe sur un truc pareil...

Thierry sortit 10 livres de sa poche, les ajouta aux 30 livres d'Andreas. La transaction allait se conclure quand le commerçant se figea. Éric crut un instant qu'il faisait un malaise, s'apprêta à le secourir. Mais le vieil homme, fixant Andreas dans les yeux, demanda d'une voix forte :

— Qu'est-ce que c'est que ça ?

Les trois camarades restèrent interloqués.

— Pardon ? demanda timidement Thierry.

Saisissant la veste de cuir d'Andreas par-dessus le comptoir, le vieil homme répéta sa question, pointant un index agressif sur l'une des décorations métalliques dont Andreas avait affublé son blouson.

Interloqué, Éric contemplait la scène. Le vieil homme faisait preuve d'une vigueur, d'une rage inhabituelles pour son âge. Le regard d'Éric fut attiré par le tatouage qui dépassait de sa manche, au creux de l'avant-bras. Quelques lettres noires perdues dans une forêt de poils blanchis par les ans.

— Mais il est malade, ce type ! protesta Andreas en tentant de se dégager.

Il se rejeta en arrière, sans oser saisir le bras de son agresseur. Le cuir de sa vareuse se déchira avec un bruit sinistre, et l'insigne métallique tomba à terre.

– Quel enfoiré! pesta Andreas entre ses dents serrées.

Il se baissa, ramassa l'emblème à tête de rapace, le serra dans sa main.

– Vous savez ce que représente cet insigne? demanda le vieillard, livide.

Thierry traduisit, maladroitement, à l'usage d'Andreas. À la grande surprise de ses compagnons, celui-ci hésita, rougit, avant de hausser les épaules sans répondre.

Avant que l'un d'entre eux ait pu réagir, Andreas tourna les talons, le sac en plastique contenant son achat serré contre lui, et sortit de la boutique en balançant la porte de verre à la volée. Thierry et Éric hésitèrent, tournèrent un regard intrigué vers le commerçant.

L'homme s'était adossé au mur, il passa une main fébrile sur son front.

– Ça ne finira jamais, murmura-t-il.

Thierry fit un pas en arrière, accrochant silencieusement la manche d'Éric pour l'inciter à quitter le magasin, mais celui-ci lui fit signe de patienter.

— Ça ne va pas, monsieur? demanda
Éric.

Comme s'il découvrait seulement qu'ils
étaient encore présents, le vieillard leva son
regard vers eux.

— Vous savez ce que c'était?

Ils ne répondirent pas.

— Ce symbole, vous savez ce qu'il représente? Votre ami le sait?

Éric haussa les épaules en signe d'ignorance.

Le vieil homme secoua la tête. Il semblait
épuisé, vaincu d'avance.

— Quel âge avez-vous? demanda-t-il.

— Quinze ans, répondit Thierry. Enfin…
notre ami en a dix-sept…

— Quinze ans… répéta le vieillard.

Il s'appuya au comptoir, ouvrit un placard
et se baissa pour en ressortir une boîte de jeu
poussiéreuse.

— Tenez, dit-il, et il déposa la boîte entre
les mains d'Éric.

— Qu'est-ce que c'est?

— C'est un jeu, jeune homme. Un jeu auquel vous n'avez encore jamais joué.

Éric et Thierry inspectèrent la boîte, à la dérobée. Elle était noire, de format un peu inférieur à une boîte normale, et ne portait aucune inscription. Éric la balança légèrement, et sentit bouger son contenu à l'intérieur. La boîte était très légère, et ne devait contenir qu'une ou deux disquettes, peut-être même pas un manuel d'instructions.

— Comment ça s'appelle ? demanda Thierry.

— Allez, maintenant. Il faut que je ferme.

Le vieillard leur montra la porte d'un geste las. Ils obtempérèrent.

— Jouez avec votre ami, surtout. S'il n'est pas trop tard.

— Il a pété un plomb, murmura Thierry en passant la porte.

Éric n'y prêta pas attention. Il reculait, les yeux fixés sur le vieillard perdu au fond de sa boutique, et l'entendit murmurer encore, comme pour lui-même :

— Ça ne finira jamais…

Ils retrouvèrent Andreas sur le quai du métro.

— Quel connard, ce vieux! lança-t-il à leur approche.

— C'était quoi, ton truc, là, ton insigne? demanda Éric.

— Qu'est-ce que ça peut te foutre?

— Ne le prends pas comme ça. Tu peux nous le montrer, non?

— Je t'ai demandé comment tu te fringues? Si tu mets des slips de Batman?

— Arrêtez, tous les deux. Vous n'allez pas vous engueuler pour si peu. Le vieux a pété un plomb, c'est tout.

Andreas le prit à témoin:

— Tu vois bien... La vérité sort de la bouche du nabot.

Avec un chuintement caractéristique, la rame approchait. Ils y pénétrèrent, suivis par un pigeon qui traînait sur le quai et semblait décidé à changer de station. Aussitôt assis, Andreas sortit la boîte de MORTAL KOMBAT 5 de son sac, en caressa l'emballage de cellophane.

— C'est grand… dit-il avant de sortir de sa poche un couteau et d'en entailler le pourtour.

Il ouvrit la boîte. Le CD-Rom apparut, disque de métal argenté sur lequel s'étalait une tête de dragon nimbée d'une flaque de sang écarlate.

— D'enfer… murmura Andreas avant de se mettre à feuilleter l'épais manuel d'instructions.

Éric, de son côté, avait sorti du sac le carton noir que lui avait remis le vieil homme. Il en souleva le couvercle. Il ne savait pas exactement ce qu'il attendait, avait même consciemment refusé d'imaginer quel jeu pourrait contenir la boîte, mais il ne put éviter un sentiment aigu de déception en découvrant le mince feuillet d'instructions et l'unique disquette de trois pouces et demi.

— Vous allez morfler, les mecs. La mère Levine se doute de quelque chose.

Alexandre les guettait dans le parc du

prieuré depuis une heure. Il était venu à leur rencontre pour les prévenir.

— Vous êtes rentrés depuis longtemps ?

— Deux bonnes heures. Les profs ont eu le temps de comparer leurs listes et de voir qu'il y a trois manquants dans le groupe de Westminster Abbey. Coup de bol pour vous, Mme Machez n'a pas songé à faire l'appel, donc ils ne savent pas exactement qui a fait l'école buissonnière.

— C'est bon, alors… dit Andreas.

— Attends, attends, pas si vite. Laisse-moi le temps de réfléchir. Raconte-nous ce que vous avez fait aujourd'hui, demanda Éric à Alexandre, où vous avez déjeuné, la totale…

Alexandre s'exécuta, trop heureux de rendre service aux trois As du Joystick, comme on les appelait au lycée. Éric, Thierry et Andreas étaient les seuls à posséder des ordinateurs puissants, de dernière génération, alors que la plupart de leurs camarades se débattaient encore avec des consoles vidéo branchées sur la télévision, voire même, pour les plus jeunes, avec des consoles portatives. Chaque clan vantait les mérites de sa bécane, les adeptes de la Megadrive s'esclaffant devant les prétentions des utilisateurs de Super-Nintendo. Mais tous, au fond, étaient obligés de reconnaître la supériorité des jeux sur ordinateur, depuis l'avènement du CD-Rom. La plupart des jeux incontournables étaient aujourd'hui conçus pour l'ordinateur avant de subir ensuite des transcriptions sur les autres supports. Et les trois fanas étaient auréolés d'une gloire née de leur avance technologique. Ils étaient les premiers à tester les jeux les plus récents, les premiers à en découvrir les subtilités, les failles et les astuces.

Lorsque Alexandre eut terminé sa narration, il fut chargé de rapporter à l'intérieur du dortoir les boîtes de jeu, une fois l'alerte passée. Éric et Thierry le précédèrent, tandis qu'Andreas choisissait de patienter encore quelques minutes à l'extérieur. Ils atteignaient l'entrée du dortoir lorsque la voix de Mrs Levine retentit :

— Boisdeffre, Martineau… venez ici une minute.

Ils se figèrent sur place, se retournèrent lentement. Thierry était livide.

— Oui, madame, dit Éric en prenant les devants.

Le professeur d'anglais se tenait dans l'encadrement de la porte de sa chambre, au bout du couloir.

Éric tenta de calmer sa panique naissante, s'avança lentement vers elle. Thierry le suivait en traînant les pieds. Même à cette allure d'escargot, se dit Éric, ils finiraient bien par se trouver face à elle. Il chercha désespérément un moyen d'éviter la confrontation, n'en trouva aucun. Il était à moins de dix mètres de Mrs Levine quand la porte battante du dortoir des filles le cueillit en pleine face et l'envoya contre le mur. Sous le choc, il s'affaissa. Des étoiles dansaient devant ses yeux. Il entendit hurler son professeur, un cri qui semblait venir de très loin. Lorsqu'il rouvrit les yeux, Elena était penchée sur lui :

— Je suis désolée, répétait-elle avec cet accent étrange qui hantait les nuits d'Éric depuis le premier jour où il l'avait entendu. Je suis désolée.

— Mais vous êtes folle de courir comme ça dans le couloir, tempêtait Mrs Levine.

Éric tenta de sourire, de dire que ce n'était pas grave. Il sentit la main d'Elena dans la poche de son blouson, croisa son regard sans comprendre.

Elle se releva, fit face à Mrs Levine, qui l'écarta pour examiner Éric. Rassurée de voir qu'il ne portait aucune trace de blessure, elle l'aida à se remettre debout. Il était tellement stupéfait par le geste d'Elena qu'il ne songea même pas à feindre la souffrance. Le revêtement en caoutchouc de la porte avait absorbé le choc, et il ne ressentait qu'un vague endolorissement au niveau du bras gauche.

— Ça a l'air d'aller, dit Mrs Levine, et cela ressemblait à un ordre plus qu'à une constatation. Suivez-moi dans le bureau.

Ils obéirent, se retrouvèrent enfermés avec elle dans la petite pièce où elle avait installé sa chambre pour les trois jours du voyage. Éric aperçut la dentelle d'une chemise de nuit sous l'oreiller, un magazine de mots croisés dépassant d'un sac en osier, et fut intrigué par ces indices de l'existence de son professeur.

— Avez-vous passé un bon après-midi? demanda Mrs Levine en s'appuyant contre le bureau.

Thierry voulut trop vite répondre, s'étrangla.

— Très bon, madame, vraiment super, lâcha Éric.

— Y a-t-il quelque chose qui vous ait particulièrement plu pendant cette visite? Quelque chose qui restera pour vous comme un bon souvenir?

— Le musée de l'abbaye, madame, j'ai beaucoup aimé les reproductions de la vie médiévale. Les petits soldats, et tout ça.

— Tiens donc… Et vous, Boisdeffre?

– Les glaces au cidre du vendeur italien... devant l'abbaye... euh, devant la librairie de l'abbaye...

Mrs Levine les dévisageait. Éric sentait qu'elle était prête à fondre sur eux, que la moindre erreur de leur part les ferait glisser dans le gouffre du conseil de discipline. Il glissa la main dans sa poche pour se donner une contenance, rencontra le contact dur d'un rectangle de carton.

– Vous imaginiez-vous Westminster Abbey comme cela ? demanda Mrs Levine.

Thierry hésita, grimaça, comme si la complexité de la question nécessitait mûre réflexion.

Mû par une subite intuition, Éric sortit sa main de sa poche, pointa le doigt au hasard sur la carte postale :

– C'est surtout ça que j'ai trouvé bizarre, dit-il.

Mrs Levine se pencha. Le doigt d'Éric s'était posé sur la pelouse au pied du bâtiment.

– L'herbe ? Vous avez trouvé l'herbe bizarre ?

Éric ôta son doigt, découvrit le vestige d'une croix fiché en terre.

– Non, non, pas l'herbe. Les vieilles tombes, les…

– Les croix celtiques… souffla Thierry.

Mrs Levine les observa un instant, décontenancée, puis soupira.

Le voyage de retour se déroula sans incident majeur. Éric avait passé les deux heures de la traversée entre Douvres et Calais, les fesses scotchées sur un siège de cuir inconfortable dans la salle de vidéo, à voir et à revoir en boucle des dessins animés de Walt Disney. Les acrobaties de Donald et Dingo n'accrochaient que rarement son regard. Il n'avait d'yeux que pour Elena, assise trois rangs plus loin au milieu d'une demi-douzaine de ses amies. Il apercevait son profil tourné vers le téléviseur, l'éclat vif de ses dents lorsqu'elle riait – et elle riait souvent. De temps en temps, sa main droite venait lisser ses cheveux sur sa tempe, dégageant son profil, et Éric alors se sentait pris d'une furieuse envie d'agir, sans savoir exactement ce qu'il pouvait bien tenter. L'intuition lui venait, confuse, impensable, qu'elle se savait épiée par lui, que son recoiffage, gracieux manège, lui était personnellement destiné. L'instant d'après, l'inanité de cette hypothèse lui apparaissait pleinement. Alors il restait là, vissé sur place, tentant de calmer les tremblements qui agitaient ses genoux.

Thierry s'était laissé conduire dans le salon-bar par Andreas. Ce dernier n'avait eu aucun mal, muni des derniers billets de son ami, à se faire servir deux pintes de bière blonde, qu'ils avaient ensuite sirotées, loin des regards indiscrets, sur le pont arrière balayé par le vent. Thierry n'avait pas fini son verre. Peu avant l'arrivée à Calais, il s'était levé précipitamment, s'était élancé vers le bastingage et avait copieusement arrosé le flanc du navire de sa bière mal digérée. Verdâtre, nauséeux, il avait vu les mouettes piquer vers la mer en contrebas puis repartir à tire-d'aile en criant leur déception.

Tout le long de la route jusqu'à Paris, Thierry et Éric restèrent silencieux, malgré les provocations et les blagues salaces d'Andreas.

Lorsqu'ils se séparèrent devant le lycée, quatre heures plus tard, il les gratifia tous deux d'un méchant coup de poing sur le biceps :

— Salut les nabots! On peut dire qu'avec vous, j'aurai fait un chouette voyage…

Ils pensaient au lendemain, aux cours qui reprenaient, au contrôle de maths qui planait comme une menace sur eux depuis une semaine, et qu'ils avaient réussi à oublier pendant tout le voyage, au point de ne rien avoir révisé.

Aucun d'entre eux ne pensait plus à la boutique.

L'appartement était plongé dans l'obscurité. Éric posa son sac de voyage, marcha jusqu'à la chambre de sa mère, guidé par le bruit

des rires préenregistrés. Entouré par une avalanche de cassettes vidéo soigneusement éti-
quetées, le téléviseur, posé sur la commode au
pied du lit, baignait la chambre d'une lumière
bleutée. Éric sourit à sa mère, se pencha vers
elle. Maman lui rendit son baiser, passa une
main sur sa joue :

— Tu as fait bon voyage ?

— Oui, pas de problème…

— Ton frère a fait à manger. Il reste du
poulet dans le réfrigérateur, je crois…

— Gilles est rentré ?

— Il est en permission, jusqu'à vendredi
prochain.

— La fameuse permission qu'il devait avoir
l'été dernier ?

— C'est ce qu'il m'a dit. Il s'est installé
dans ta chambre.

Éric pivota, fit mine de quitter la pièce.

— Reste encore un peu. Gilles est parti
dîner avec des amis. Il rentrera tard.

Éric s'assit au pied du lit :

— C'était vraiment super, l'Angleterre…

Maman lui adressa un petit sourire, le coupa :

– Pas maintenant, mon chéri, je regarde la fin...

Il acquiesça, laissa son regard courir dans la chambre. De vieux magazines de programmes télévisés s'entassaient au sol entre le lit et la fenêtre. Il se pencha pour en saisir un au hasard, s'adossa au pied du lit en prenant garde de ne pas déloger les dizaines de petits cylindres de pilules homéopathiques que Maman avait disposées sur la tablette au pied du lit, et se mit à feuilleter les pages, l'esprit ailleurs.

Le fusil d'assaut manquait de munitions. Andreas appuya sur la touche 5, prit le lance-roquettes en main et traversa la rue en courant. Une boule de feu partit du sommet d'un building, mais il n'y prêta aucune attention. Tant qu'il restait en mouvement, les diables n'avaient aucune chance de l'atteindre à une telle distance. Il pivota sur lui–même, vérifiant qu'aucun monstre ne se glissait dans son dos, puis continua sa course vers le bâtiment central. Arrivé à l'intérieur, il appuya sur la touche 4, abandonnant momentanément le lance-roquettes pour la mitrailleuse. En combat rapproché, les roquettes étaient beaucoup trop dangereuses. Si l'une d'elles explosait à proximité, ou s'il tirait trop près d'un mur, il serait totalement calciné. Et il était tellement près du but...

Andreas jouait à DOOM II depuis trois heures maintenant. La fatigue commençait à le gagner, malgré l'excitation, mais il s'était fixé comme but d'atteindre la fin du niveau d'une seule traite, sans aucune sauvegarde et sans utiliser les codes de triche. Il lui restait 67 % de points de santé, 88 % de points d'armure, et il avait récupéré sans trop de problèmes une clef bleue. Ses munitions étaient à un niveau correct, à part les cartouches. Son premier objectif était d'en localiser une caisse au plus vite. À l'intérieur d'un bâtiment comme celui-ci, plongé dans l'obscurité, le fusil d'assaut à double canon était son arme préférée. Certes, le temps de chargement était légèrement plus long que celui d'un simple fusil, mais sa puissance de feu était plus dévastatrice, surtout à bout portant.

Il se cala dans un recoin du bâtiment, dans l'angle d'un grand escalier, attendit quelques secondes pour être certain qu'aucun monstre n'avait détecté ses mouvements, et lâcha un instant la souris pour saisir la canette de bière et en avaler les dernières gorgées. Il avait encore soif. Il hésita à quitter l'écran, à se risquer jusqu'à la cuisine. N'importe quel autre joueur, à sa place, aurait appuyé sur la touche d'échappement pour mettre le jeu en pause, mais c'était aussi un des artifices que les véritables Fragmeister se refusaient à utiliser. Il jeta un œil à son réveil. Une heure du matin… Il était temps d'en finir. Il joua avec le manche de son couteau de chasse, en frotta légèrement la lame sur sa cuisse nue. Un grognement bestial retentit, montant des profondeurs du bâtiment. Il posa le couteau, saisit la souris d'une main sûre. Les doigts de sa main gauche cliquetèrent sur les touches de direction du clavier, le propulsèrent en avant. Il tourna sur lui-même, découvrant dans son champ de vision l'escalier gigantesque, au sommet duquel se pressait une foule de démons surmontée par une douzaine d'âmes perdues. En l'apercevant, la meute poussa un rugissement, s'élança dans l'escalier. Andreas hésita une fraction de seconde. Son annulaire gauche frappa la touche 6. Le fusil à plasma apparut entre ses mains, et il se jeta en avant, à la rencontre de la horde. Son index droit appuya sur le bouton gauche de la souris, et des décharges d'énergie pure jaillirent devant lui, nettoyant son passage dans une gerbe d'étincelles d'un vert émeraude. Les démons, pulvérisés à bout portant, explosaient en poussant des hurlements de rage. Mais leur nombre même ralentissait Andreas, permettant aux plus rusés de le prendre à revers. L'un d'entre eux réussit à le lacérer d'un coup de corne, et pendant un instant, l'écran vira au rouge sang, tandis que son visage en bas de l'écran accusait la souffrance. Il pivota à toute vitesse, nettoyant le terrain autour de lui, puis reprit sa progression. Il était presque arrivé en haut de l'escalier quand l'une des âmes perdues se jeta sur lui avec un sifflement sinistre. Il évita la gueule brûlante à la dernière seconde, prit pied sur l'esplanade en haut de l'escalier. Derrière lui, pris dans un feu croisé, les démons et les âmes perdues s'entre-déchiraient. Sur sa gauche, Andreas aperçut un étroit corridor. Il s'y dirigeait en courant lorsqu'en périphérie de sa vision, il décela une caisse de cartouches. Il obliqua sur la droite, l'attrapa. Avec un claquement sec qui le fit sourire dans le noir, le fusil d'assaut apparut entre ses mains.

Il obliqua à nouveau, à gauche, vers le corridor, tirant au jugé deux cartouches en direction de l'escalier. Un démon fut projeté dans les airs, retomba hors de sa vue. Il arrivait devant l'entrée du corridor quand un barrissement résonna sur sa droite. Une immense paroi s'ouvrait·dans le mur, révélant un chevalier de l'enfer dans toute sa maléfique splendeur. Andreas tressaillit, renversant la canette vide sur le sol. Sa main gauche dérapa sur le clavier, enfonça la touche 6 en même temps qu'il appuyait sur le bouton gauche de la souris. Le fusil d'assaut aboya, déchargeant à bout touchant un nuage de plomb dans les jambes monumentales du monstre. Le fusil à plasma apparut presque instantanément, et le doigt toujours crispé sur la souris grilla le chevalier de l'enfer dans un torrent d'énergie pure. Affolé par la proximité du monstre, Andreas jeta un œil au bas de l'écran, vit avec horreur que tous ses paramètres plongeaient. Les munitions de son arme chutaient à une vitesse vertigineuse, mais cela était normal. Incrédule, il voyait ses points de santé et d'armure disparaître eux aussi. Quelque chose l'attaquait! Quelque chose le lacérait par-derrière! Il serra les dents, étouffant un cri de rage et de dépit. Le chevalier de l'enfer s'effondra enfin, et Andreas amorça un demi-tour sur lui-même. Mais avant qu'il ait pu l'achever, ses points de santé atteignirent 0, et il glissa à terre dans une mare de sang. Un instant encore, avant de sombrer, il aperçut au-dessus de lui les pattes arrière du diable qui venait de le tuer. Un sursaut de fureur le saisit. Avoir affronté un chevalier de l'enfer, une horde de démons, pour finir dans les griffes d'un vulgaire diable, qu'en temps normal et en terrain dégagé il aurait pu abattre à mains nues! Les lettres rouges GAME OVER apparurent sur l'écran. Andreas saisit le couteau, le planta dans le bois de sa desserte d'ordinateur. Il ferma les yeux, laissa échapper un long soupir. *Calme-toi, un vrai Fragmeister ne se laisse pas aller au découragement. La mort au combat est la plus belle mort qui soit...*

Il ne savait plus où il avait lu ces paroles, il n'était même pas certain de ce que voulait dire «Fragmeister». Thierry prétendait que c'était simplement un titre à consonance germanique dont s'était affublé un des champions toutes catégories de DOOM, en Angleterre, après avoir affronté des centaines de concurrents dans des tournois sur réseau en mode «combat à mort». Andreas était certain que ce nom signifiait autre chose, un message que lui seul pouvait déchiffrer. Il rouvrit les yeux. Son regard embrassa les posters sur le mur, le grand drap de soie rouge sur lequel il avait épinglé l'essentiel de sa collection de décorations et d'insignes militaires. Il prit sur le bureau son insigne à tête de mort, en caressa l'épingle tordue par ce vieillard malade... Un rictus courut sur son visage. Il se tourna vers l'écran, sans un regard pour le réveil qui indiquait maintenant une heure et demie du matin, et valida l'option NOUVEAU JEU. Il se retrouva au début d'un niveau, dans un recoin d'une salle envahie de diables et de zombies-commando. Ses doigts pianotèrent un premier code sur le clavier : IDKFA, et le niveau de ses munitions et de son armure monta au maximum. Il tapota ensuite : IDDAD, un code qu'il se forçait à n'utiliser que très rarement. Son visage au bas de l'écran changea brutalement. Des rayons d'énergie verte sortirent de ses yeux. Il appuya sur la touche 1, la gorge sèche, et la tronçonneuse apparut entre ses mains. Il savoura quelques instants le bruit familier de son moteur bien huilé, ferma les yeux, et s'élança au centre de la pièce bondée. Le vrombissement de la tronçonneuse se fit plus strident comme elle taillait dans les chairs de ses ennemis. Volontairement aveugle, Andreas tournait sur lui-même, déchiquetant les vagues d'assaillants qui venaient tomber à ses pieds dans des jaillissements écarlates. Lorsque les derniers rugissements de douleur se furent tus, il rouvrit les yeux et contempla le carnage. Ses points de santé et d'armure étaient toujours au maximum. Il abaissa la scie, laissa échapper un soupir d'intense satisfaction... Bien sûr, il ne fallait pas en abuser, mais vraiment, vraiment, Andreas adorait se détendre en mode DIEU.

Gilles n'était pas rentré de la nuit. Le réveil sortit Éric du sommeil à sept heures. Il enjamba le lit de camp vide de son frère, s'habilla sans hâte, l'esprit encore embrumé. Il avait rêvé d'Elena cette nuit, mais le souvenir s'estompait. Il jeta un regard rapide sur les

affaires de son frère, à la recherche d'un magazine pour hommes, sans succès. Un livre était
posé sur la tablette de nuit près d'un cendrier
plein. Éric le souleva, en lut le titre : *L'Espoir.*
André Malraux. Sur la couverture, des soldats
souriants levaient le poing, penchés aux
fenêtres d'un train en partance. Éric jeta un
œil à la quatrième de couverture : il était question d'une attaque, quelque part en Espagne,
contre un bâtiment tenu par des insurgés. Une
histoire de guerre, sans doute. Pourtant, dans
ses lettres, Gilles semblait en avoir soupé, de la
guerre. Lui qui s'était porté volontaire pour la
Bosnie semblait au fil des mois avoir perdu ses
illusions. Comme Éric reposait le livre, une
photographie s'en échappa, qu'il ramassa à
terre. C'était un cliché pris au Polaroïd, sur
lequel on apercevait en arrière-plan un
camion blindé et un amas de sacs de sable. Au
premier plan, deux enfants blonds, un garçon
et une fille d'une dizaine d'années, habillés de
pulls de couleurs bigarrées, de pantalons de
toile rêche et de bottes de caoutchouc rouge

vif, grimaçaient leur plaisir en avalant des bonbons. La fillette présentait en riant sa poupée à la caméra, une Barbie fatiguée dont le buste avait été rafistolé à grand renfort de sparadrap. Éric glissa la photographie entre deux pages, partit se laver les dents. Il avait passé la soirée de la veille à réviser in extremis ses derniers cours de mathématiques, et sa tête était encore pleine de formules mal digérées. Mais l'idée lui vint, lancinante, qu'il faudrait qu'il tente d'en apprendre plus sur son frère, et sur ce qu'il avait vu, là-bas.

Éric finit d'avaler son café au lait, regarda sa montre. Encore un quart d'heure avant le prochain bus pour le lycée. Il hésita, tendit l'oreille. Sa mère dormait encore. Il entendait sa respiration régulière. Plus jeune, après le départ de son père, lorsque des cauchemars le tiraient du lit, Éric venait souvent finir sa nuit près d'elle. Le souffle chaud de sa mère, les vapeurs de médicaments et d'inhalations embaumant la pièce le rassuraient alors, lui permettaient de retrouver le sommeil. Aujourd'hui, les choses avaient changé. Maman n'était pas sortie de l'appartement depuis quatre mois maintenant, malgré les encouragements de son médecin. Éric en était arrivé à fuir le docteur Munier, à s'éclipser lorsque le médecin était appelé en visite au domicile, de peur d'avoir à affronter son regard inquiet, ses questions insistantes. Il redoutait d'entendre de la bouche du médecin que Maman était gravement malade, ou, pire encore peut-être, qu'elle n'avait rien...

Il vérifia que son cartable était prêt, s'assit devant l'ordinateur et posa le réveil bien en évidence. Un quart d'heure... Il n'aurait sans doute pas le temps d'installer le CD-Rom de FADE TO BLACK et de paramétrer correctement les effets sonores et visuels. Et puis il voulait se donner le temps de savourer la découverte de son nouveau jeu. Mais rien ne l'empêchait de jeter un œil sur le programme que lui avait refilé le vieux commerçant anglais. Un jeu qui tenait sur une disquette, probablement un jeu ancien, peu perfectionné, prendrait aussi peu de temps à installer qu'à effacer du disque dur s'il ne donnait pas satisfaction. Éric alluma l'ordinateur de son frère, attendit que la machine s'éveille à la vie, déroulant les lignes de son programme interne avant d'afficher le c:\ qui lui tenait lieu d'invite. Éric enfonça l'unique disquette dans le lecteur, tapa a:\.

Le feuillet d'instructions ne comportait que les habituelles recommandations contre l'épilepsie, qu'il ne prit pas le temps de lire. Il tapa install, puis appuya sur la touche ENTRÉE, sans succès.

Il essaya: play, suivi d'ENTRÉE. Rien n'arriva. Il allait tenter de visualiser les programmes de la disquette en tapant dir:\ quand l'ordinateur planta avec un couinement outragé.

C'était déjà arrivé, et, en théorie, Éric savait ce qu'il fallait faire. Appuyer sur le bouton RESET, afin d'éviter d'endommager les fragiles composants électroniques de l'ordinateur, et effacer le ou les programmes offensants. Il hésita un instant, médusé par la succession de lignes incompréhensibles qui déferlait sur l'écran, puis la panique le saisit. Un virus! La disquette était infectée par un virus, et il venait de l'introduire dans l'ordinateur de son frère. Affolé, il appuya sur le commutateur, éteignant d'un coup l'unité centrale de l'ordinateur, les enceintes et l'écran, avec un claquement électrique sinistre. Il se força à attendre trente secondes, comme le préconisaient tous les manuels d'informatique. Dans son esprit, il ne pouvait s'empêcher d'imaginer les programmes en cours comme autant d'impulsions électriques bleutées courant le long des supraconducteurs à l'intérieur de la machine, soudain privés d'alimentation, et mourant l'un après l'autre dans des culs-de-sac électroniques. Il ralluma l'ordinateur. L'unité centrale cliqueta, s'arrêta. L'écran restait muet.

— Tu n'as pas vu Thierry?

Andreas leva les yeux de sa table, posa son canif.

– Ne t'excite pas, mon vieux. Qu'est-ce qui t'arrive? Tu vas pas nous faire un malaise à cause d'un contrôle de maths à la con?

– Arrête. Ça n'a rien de drôle. C'est vraiment, vraiment grave. J'ai planté l'ordinateur de mon frère.

– Planté-planté?

Éric hocha la tête. Andreas resta silencieux, frappé par la tragédie.

– Il faut que je trouve Thierry avant que mon frère rentre. Sinon il va me tuer.

– Ton frère? Je croyais qu'il était à l'armée…

– Il a eu une permission.

– Sincères condoléances, mon vieux. Sincères condoléances.

La sonnerie de 8 heures retentit. Éric s'assit, passa une main dans ses cheveux. Il était couvert de sueur, une sueur froide, malsaine, qu'il sentait dégouliner de ses aisselles, le long de ses flancs.

La classe se remplissait peu à peu. Thierry n'arrivait toujours pas. Andreas jetait de

temps à autre un regard sur sa montre, et
Éric réalisa que c'était bien la première fois,
depuis le début de l'année, que son camarade était à l'heure, voire en avance. Andreas
arrivait invariablement en retard, et l'ingé-
niosité de ses motifs d'excuse avait fait sa
réputation parmi les autres élèves. Certains
des professeurs, sans pour autant se départir
de l'opinion qu'Andreas était un des pires
cancres qu'ils aient rencontrés au cours de
leur carrière, lui concédaient sur ce point
une admiration qu'ils ne cherchaient pas à
cacher.

Le professeur de mathématiques se levait
de son siège pour fermer la porte quand
Thierry et Elena apparurent. Le cœur d'Éric
fit un bond. Il entendit, comme dans un rêve,
le professeur sermonner mollement les deux
retardataires. Il vit, comme au ralenti, Thierry
hésiter, se faire dépasser par Elena qui tournait
dans sa propre rangée, qui avançait vers lui,
qui s'arrêtait enfin pour demander :

— La place est libre ?

Il hocha la tête sans répondre, la bouche pâteuse, se glissa sur le siège pour lui laisser la place. Thierry s'était assis à côté d'Andreas.

Elena ouvrit son cartable, sortit sa trousse, un paquet de copies doubles, lui adressa un sourire. Éric ne savait que dire. *Je transpire! Je transpire comme un porc et elle va le sentir!* Il colla ses coudes contre son corps pour masquer les auréoles sous ses aisselles, sentit la sueur froide coller la chemise à sa peau.

– J'espère que vous avez fait bon voyage, commença M. Maffioli. Et que vous avez profité de votre long week-end pour réviser les formules que je vous avais demandé d'apprendre...

Il sortit de sa sacoche une chemise, donna la pile de sujets à distribuer au premier rang. Au fur et à mesure que les élèves, rangée après rangée, découvraient l'intitulé du problème, des gémissements fusaient. Éric jeta un œil de côté. Andreas avait les yeux fixés sur sa montre, semblait ne pas se soucier du drame qui se nouait.

Les sujets arrivèrent enfin à leur niveau. Éric s'en saisit, en donna un à Elena. Elle prit le temps de le remercier d'un sourire avant de plonger dans sa lecture. Éric se tournait pour passer les feuilles restantes à ses voisins de derrière quand l'explosion retentit. Il sursauta, et les feuilles lui échappèrent, s'éparpillant à terre. Des cris fusèrent dans la pièce, certains des élèves se baissèrent instinctivement. Éric vit dans les regards la crainte, l'affolement naissant.

– Qu'est-ce que… demanda le professeur de mathématiques, et une deuxième explosion retentit, venant du fond de la classe.

La porte du placard s'ouvrit sous le choc de la déflagration, et une épaisse fumée blanche jaillit sur les derniers rangs.

– Évacuez la salle, cria M. Maffioli. Évacuez la salle !

Mais c'était peine perdue. La plupart des élèves passaient déjà la porte en courant.

– Mais comment as-tu fait ça ?

– C'est mon petit secret, répondit Andreas en pressant le pas.

Thierry le rattrapa, insista.

– Écoute, c'est bien parce que c'est toi, mon rat. Et parce que je sais que tu n'auras jamais le courage de tenter l'expérience par toi-même, ajouta Andreas en lançant un clin d'œil à Éric.

Ils avançaient à marche forcée le long du parc encore désert à cette heure. Il faisait froid. Le soleil se levait timidement, dispersant quelques volutes de brume encore accrochées à la cime des arbres.

– Il te faut une cigarette, longue, un pétard, gros, une aiguille et un sucre.

– Un sucre ?

– Ne m'interromps pas tout le temps, nabot. Tu creuses le filtre de la cigarette avec une aiguille, dans le sens de la longueur. Ensuite tu l'allumes, et tu glisses l'extrémité de la mèche du pétard dans le filtre, O.K. ?

– O.K...

– Tu poses le tout délicatement dans

un endroit bien choisi, un placard par exemple…

— Et le sucre?

— J'y viens. Tu poses la cigarette en équilibre sur un sucre, le bout incandescent vers le bas, le filtre légèrement surélevé.

— Pour que la cigarette se consume entièrement! Tu es génial!

— Tu en doutais, nabot?

— Ce n'est pas le comment qui m'intéresse, interrompit Éric. C'est pourquoi? pourquoi en plein contrôle de maths?

— Mon pauvre chéri, s'exclama Andreas. Juste le jour où ta fiancée bosniouk vient enfin poser ses petites fesses à côté de toi…

Andreas grimaça, une grimace obscène qui ôta à Éric tous ses moyens.

— Tu déconnes complètement. Ça n'a rien à voir. Ce que je veux dire… ce que je veux dire, c'est que de toute façon, on va se le taper, ce contrôle de maths. Ça ne servait à rien de le remettre à plus tard, sauf à faire enrager Maffioli.

– Tu n'as donc aucun esprit d'aventure?

Andreas s'était arrêté, la main à hauteur de la poitrine, l'air sincèrement navré. Éric, agacé, poursuivit son chemin:

– J'ai bossé ce contrôle toute la soirée pour avoir une bonne note, et toi tu fous tout par terre.

– Tu fais ce que tu veux de tes soirées, mon pote, répliqua Andreas en revenant à hauteur d'Éric. Moi, j'ai bien passé trois heures à jouer à DOOOOOOMMMM…

– Tu as fini le niveau 22? demanda Thierry.

– Eh, je vois qu'il suit, le nabot. Il a de la mémoire, on pourra en faire un chômeur bac + 1! Non, je n'ai pas fini le niveau 22 à cause d'une saloperie de diable… Tu sais quoi? Tu sais ce que j'ai appris? Tu ne devineras jamais comme c'est grand.

Éric haussa les épaules, continua sa route.

– La campagne de pub pour DOOM II, en Angleterre… Tu sais ce qu'ils ont fait? Ils ont envoyé un sac plastique transparent plein de

tripes et de viscères récupérés dans une boucherie à chacun des magazines spécialisés dans
les jeux vidéo. C'est grand, non? Tu imagines
la secrétaire à la réception qui reçoit le colis,
qui l'ouvre, et floutsch...!

Andreas partit d'un rire saccadé, envoya
son poing contre un réverbère.

Vérification en cours... vérification en cours...
les mots clignotaient sur l'écran de l'ordinateur
de Thierry. Éric, assis inconfortablement sur le
coin du bureau, le fixait, tendu entre l'espoir et
la crainte. Andreas, affalé en travers du lit, tournait les pages d'un manuel d'installation de carte
son, sans rien y comprendre. La bibliothèque de
Thierry regorgeait de livres techniques traitant
de tous les aspects de la micro-informatique.
Des traités d'utilisation simples, comme *Le PC
pour les Nuls*, qu'Éric et Andreas maîtrisaient
sans peine, côtoyaient des manuels rébarbatifs
sur les conflits de canaux IRQ et DMA, ou les
configurations optimales de l'AUTOEXEC.BAT et
du CONFIG.SYS, dont la quatrième page de cou-

verture à elle seule suffisait à donner des maux de tête aux non-initiés pour quinze jours.

– Ah… fit Thierry doucement lorsque l'écran afficha Vérification terminée…

Éric scruta son visage, suspendu au verdict de son ami.

– Alors, docteur, c'est grave? lança Andreas sans lever les yeux de sa lecture.

– Aucun des programmes n'a repéré de virus sur la disquette.

Éric laissa échapper un soupir de soulagement.

– Aucun virus connu, s'entend. On peut maintenant passer à la phase numéro 2…

Il quitta le programme de détection virale, se plaça sur le lecteur de disquettes et tapa dir:\.

La liste des programmes contenue sur la disquette s'afficha.

Install.exe
Install.bat
Ultime.exe
Setsound.exe

– Tu me dis que tu as entré install au clavier sans succès ?

– J'ai tapé install, j'ai tapé play... Rien ne s'est produit. C'est alors que j'ai essayé dir, comme toi, et l'ordinateur a planté.

– Pour le moment, rien de suspect sur le mien. C'est peut-être un problème de configuration, un conflit entre l'un des programmes et ton matériel. Cela arrive. De toute façon, on sera bientôt fixés...

Thierry fit une copie de la disquette, vérifia qu'il tenait à portée de main l'interrupteur et les disquettes de redémarrage de son ordinateur, ainsi que les sauvegardes sur bandes, qu'il avait effectuées la veille, de l'intégralité des données contenues sur son disque dur.

– Synchronisez vos montres, messieurs, marmonna-t-il autour d'un cigare imaginaire.

Il brancha un vieux disque dur externe en périphérique à l'arrière de son unité centrale, relança la machine.

– Si jamais ça plante, ou si le programme

tente d'infecter le disque, je n'aurai qu'à l'effacer et à le reformater. On y va...

Il tapa a:\install, et le programme, sans anicroche apparente, commença à se dérouler. Il suivit les rares instructions, tapa ensuite set-sound pour paramétrer la carte son. En quelques secondes, le programme était installé.

– Je ne sais pas ce qui t'est arrivé. Tout se passe sans problème. Et je suis quasiment certain maintenant que le programme n'est pas infecté. Tu devrais réessayer ce soir. Et si vraiment tu as planté, tu me l'apporteras et je le réparerai ici.

Éric se leva, un peu soulagé, commença à enfiler son blouson. En l'absence de virus, il ne risquait pas d'avoir endommagé le disque dur de l'ordinateur de son frère, et effacé des données importantes. Tout au plus risquait-il de devoir remplacer certains composants internes, et Thierry était passé maître dans ce genre de manipulations, dont le coût élevé, ils avaient eu l'occasion de s'en rendre compte, était plus lié au prix de la main-d'œuvre qu'à celui, relativement faible, des pièces.

Thierry le regarda, étonné :

— Tu t'en vas déjà ? Tu ne veux pas le voir tourner ?

— Je ne veux plus voir ce programme. En tout cas pas pour l'instant. En plus, ça doit être une daube…

Andreas s'était soulevé sur un coude, tapa l'épaule de Thierry :

— Laisse-le tomber, si ça ne l'intéresse pas. Allez, vas-y, fais voir…

Thierry tapa ULTIME.

L'ordinateur cliqueta. Quelques lumières verdâtres clignotèrent sur le devant de l'unité centrale. L'écran s'éclaircit. Des volutes de fumée dansaient devant leurs yeux. Une musique sourde, envoûtante, où se mêlaient le son feutré d'un tambour et une sonnerie de trompette, emplit la pièce.

— *Depuis la nuit des temps…* commenta une voix sombre, caverneuse, magique.

— C'est en français ? demanda Andreas.

Éric et Thierry échangèrent un regard interloqué. Rien dans le programme d'installation n'indiquait le choix d'une autre langue que l'anglais. Comment le programme savait-il... Ils n'eurent pas le temps de s'interroger. La voix, riche, somptueuse, répétait :

— *Depuis la nuit des temps..., la race humaine a pris part au jeu le plus excitant, au jeu le plus dangereux, au jeu le plus prestigieux de l'univers.*

L'écran s'éclaircit encore. La prise de vues changea, et ils avaient maintenant l'impression de survoler à vive allure la surface d'une planète, à l'extrême limite de la stratosphère. Des bribes de nuages flottaient dans leur champ de vision. L'illusion de profondeur était extraordinaire. Subjugués, les trois garçons fixaient l'écran. La caméra plongea. Le dessin se fit plus précis, et Éric se rassit, ébahi, pris de vertige. Le choc des armes parvint à leurs oreilles avant même qu'ils aperçoivent le champ de bataille. Le son métallique des glaives frappant les boucliers, le sifflement sourd des flèches atteignant leurs cibles. Un instant encore, ils étaient dans les nuages, au-dessus d'une colline. Puis, au premier plan, un homme tomba. Un soldat romain, à en juger par son uniforme. Des flèches traversèrent l'écran, semblant jaillir droit vers eux. Andreas jura, tant l'illusion était parfaite. La caméra glissait toujours, et ils étaient maintenant en plein cœur de la bataille, une bataille acharnée où pleuvaient les coups et les morts. La musique s'amplifia, et au bruit des épées se mêla celui des mousquets, puis le fracas des canons. La caméra filait toujours, et dans la fumée des explosions, dans le tumulte des cris de souffrance et de rage, ils devinaient maintenant d'autres hommes, d'autres ennemis, d'autres armées en lutte. Ici un croisé passait au fil de l'épée un infidèle, là un soldat des guerres napoléoniennes tombait face contre terre, fracassé par un coup de fusil. Là encore des fantassins de la Première Guerre mondiale, lancés dans une course folle au milieu d'un champ de mines, disparaissaient l'un après l'autre dans le fracas des explosions.

— *Ce jeu ancien,* reprit la voix, *ce jeu fascinant, est l'ultime jeu. Un jeu de conquêtes et de souffrances, un jeu de victoire et de mort. Êtes-vous assez courageux pour affronter L'EXPÉRIENCE ULTIME?*

Le titre vint s'inscrire en lettres de feu sur fond noir. L'unité centrale cliqueta à nouveau.

— D'enfer! lâcha Andreas.

Il avait quitté sa position nonchalante, se tenait maintenant juste derrière Thierry, les yeux rivés sur l'écran.

— Je ne comprends pas, murmura celui-ci en examinant la disquette du jeu d'un air inquiet.

— Qu'est-ce que tu ne comprends pas? demanda Éric.

— C'est une scène cinématique incroyable, qui fait bien quatre minutes. Avec du son, de la musique, des effets spéciaux... Tu as vu la précision du dessin? C'est le genre d'introduction que tu vois sur CD-Rom, et encore, pas souvent. Mais comment est-ce que ça peut tenir sur une disquette? Et dans quel programme?

— *Choisissez votre mode de jeu*, demanda la voix.

Trois options apparurent à l'écran, en français :

Corps à corps.

Stratégie.

Ultime.

— Je ne comprends pas, répéta simplement Thierry.

Et il éteignit l'ordinateur.

Andreas poussa un hurlement de déception, se leva comme pour le frapper.

— Ce n'est pas normal. Ce n'est même pas possible, dit Thierry.

Éric le regardait, inquiet. Le front de son ami était couvert de sueur.

— Mais t'es vraiment un cyber-connard ! lança Andreas. Il s'empara de la disquette, la glissa dans son blouson.

— Qu'est-ce que tu fais ? demanda Éric.

— Toi, ça n'a pas l'air de t'intéresser. Et lui, il en trempe sa liquette. Moralité, je l'emprunte. Et pas plus tard que tout de suite.

— Attends, dit Éric. Thierry a probablement raison. Il faut d'abord comprendre comment…

— Mais vous m'emmerdez avec vos conneries ! Qu'est-ce que vous voulez comprendre ? Restez là à palabrer. Moi, je rentre essayer le mode Corps à corps.

Il mima une décapitation en se passant le tranchant de la main sur le cou, poussa un cri effrayant et disparut dans le couloir. Éric et Thierry entendirent claquer la porte d'entrée.

— Il va falloir que j'y aille aussi… dit enfin Éric.

Thierry ne sembla pas l'entendre.

— Bon, ben, j'y vais… On se retrouve cet après-midi au stade ?

— Oui… c'est ça… au stade.

Resté seul, Thierry ralluma l'ordinateur. Une seule explication lui venait à l'esprit. Sans doute le programmateur du jeu avait-il utilisé une technique de compression de données particulièrement révolutionnaire pour faire figurer l'ensemble des fichiers d'images et de sons sur une seule disquette. Au moment de l'installation, le programme s'était décompressé automatiquement, et devait maintenant occuper sur le disque dur plusieurs mégaoctets de mémoire. Thierry pianota sur les touches, fit défiler à l'écran le gestionnaire de fichiers, à la recherche du répertoire ULTIME. Il le trouva, placé par ordre alphabétique entre le répertoire de sa carte son SOUNDBLASTER et le répertoire WINDOWS. Il double-cliqua sur la petite icône jaune, et le dossier s'ouvrit, révélant son contenu. Quatre fichiers, ceux-là mêmes que Thierry avait copiés de la disquette. Install.exe et Install.bat, qui contenaient le programme d'installation du jeu sur l'ordinateur, Setsound.exe, qui contenait les fichiers sons, et Ultime.exe, qui lançait probablement le jeu proprement dit, une fois l'installation effectuée. Une ligne en bas de l'écran affichait l'espace occupé sur le disque dur par le jeu : Total 4 fichier(s) 7680 octets.

C'était impossible, tout bonnement impossible. Le moindre jeu de casse-briques, le moindre programme hérité des consoles d'arcades des années 80 aurait occupé au moins dix fois plus d'espace… Bien sûr, au fil des années, les programmateurs avaient fait d'énormes progrès, et affiné leurs calculs pour créer de nouveaux jeux, plus complexes mais à l'architecture mathématique plus subtile, moins lourde. De là à imaginer que le créateur de l'EXPÉRIENCE ULTIME ait réussi à tout faire tenir en si peu de place… Si c'était le cas, ce type devait avoir sa place au panthéon des géants de la micro-informatique, éditer à des millions d'exemplaires des jeux qui feraient de lui une idole… et non pas végéter au sein d'une maison de production inconnue. Les programmateurs de DOOM, quatre beatniks mal rasés qui avaient débuté dans l'arrière-salle d'un garage en Californie, étaient maintenant tous milliardaires, et rivalisaient entre eux à qui s'achèterait le plus de voitures de course. Aux dernières nouvelles, on en était à trois Ferrari Testarossa partout, à 200 000 dollars l'unité.

Thierry voulait en avoir le cœur net. Il cliqua sur Setsound.exe pour sélectionner le fichier son, amena le curseur de la souris sur la ligne Fichier, puis Supprimer. Avec un ultime remords, le programme demanda :

Répertoire actuel : C:\ULTIME\setsound.exe
Supprimer tout ?

Thierry appuya sur Oui, gardant les yeux sur la ligne en bas de l'écran, qui annonça après quelques secondes :

Total 3 fichier(s) 5210 octets.

Il répéta l'opération avec Install.bat. Il restait maintenant 2150 octets. Il effaça enfin Install.exe, puis resta longtemps, immobile devant l'écran, à tenter de concevoir l'incompréhensible.

L'ordinateur affichait le contenu de l'unique fichier restant dans le répertoire, le fichier Ultime.exe :

Total 1 fichier(s) 0 octet.

Le jeu n'existait pas. Le programme n'existait pas. Thierry amena le curseur de la souris sur le fichier pour le supprimer. Sa main tremblait. Il allait cliquer quand l'écran devint noir. Il entendit d'abord le bruit des flammes, puis la voix, rauque, impatiente, ordonna :

– *Choisissez votre mode de jeu...*

Lorsque Éric pénétra dans sa chambre, Gilles, assis devant l'ordinateur, tapait un texte au clavier.

– Salut. Tu n'as pas cours à cette heure-ci ?

Éric resta ébahi un moment, puis le soulagement l'emporta.

– Non, non. Il y a eu une alerte au feu au lycée. Les cours ne reprennent que cet après-midi.

– Une alerte au feu ? répéta Gilles en haussant les sourcils.

– Rien de grave... Tu n'as pas... tu n'as pas eu de problème pour mettre en marche l'ordinateur ? demanda Éric pour changer de sujet.

– Non. Aucun. Pourquoi ? J'aurais dû en avoir ?

— Non, non…

— J'ai même installé ton nouveau jeu, là. Tu l'as rapporté d'Angleterre?

Un instant Éric crut que son frère parlait de l'EXPÉRIENCE ULTIME. Mais Gilles pivotait sur le siège tournant, attrapait le manuel de FADE TO BLACK et le lançait à son frère.

— Ça n'est pas mal du tout. Évidemment, le processeur n'est pas assez puissant pour bénéficier des graphismes en Super-VGA, mais c'est quand même très, très bien… Et puis ça te change des sempiternelles tueries à la hache…

Éric ne sut que répondre. Il jeta un œil à l'écran, parcourut quelques lignes au hasard: et le dégoût de moi-même. J'avais cru, pour une fois, être utile à quelque chose, à quelqu'un. Pouvoir mettre enfin mes actes en conformité avec mes pensées. C'était sans compter avec l'ambiguïté fondamentale de notre mission. Je voulais être un soldat de la paix. Vaste programme, et erreur fatale. Combien de morts?

Gilles avait saisi le manège de son frère,

cliqué sur l'icône de fermeture. Le texte disparut. Les deux frères se jaugèrent, échangèrent un sourire.

— Je suis content…

— Ça me fait plaisir…

Ils avaient parlé en même temps, s'arrêtèrent.

— On la refait, dit Gilles, et il actionna un clap imaginaire en tapant des deux mains. Le retour du grand frère, scène 46, 2e prise.

— Je suis content que tu sois rentré en un seul morceau, dit Éric.

Le sourire de Gilles s'effaça. Son regard se troubla.

— Que voulais-tu qu'il m'arrive ?

Éric hésita :

— Tous les soirs, avec Maman, on regardait le journal télévisé, pour savoir où ça pétait. Et avec tes lettres, on suivait sur une carte tes déplacements…

— Une carte ? Où est-ce que tu as déniché une carte de Yougoslavie ?

— Au lycée. Le prof d'histoire l'a affichée

au mur. C'est une vraie carte de là-bas, pas une carte fabriquée en France. Dans la classe, nous avons une fille… une réfugiée yougoslave…

— Une réfugiée…

— Elena… Elena quelque chose, fit Éric en haussant les épaules pour dissimuler son émotion.

— Quand est-elle arrivée en France?

— Je ne sais pas. Je ne lui ai jamais parlé, enfin presque jamais.

— Pourquoi?

Éric souffla, comme si le sujet avait cessé de l'intéresser.

— Elle t'intimide? insista Gilles.

— Tu fais chier, dit Éric.

Il se défit de son blouson, le jeta au pied du lit et s'allongea.

— J'aimerais bien rencontrer cette fille, dit enfin Gilles.

— Pour quoi faire?

— Pour parler, pour savoir comment elle est arrivée en France… Elle a sa famille avec elle?

— Tu m'en poses, des questions... j'en sais rien, moi...

— Ne vous disputez pas, mes chéris!

La voix de Maman, essoufflée, leur parvint des profondeurs sombres de sa chambre.

— Comment va-t-elle? murmura Gilles.

— Pas mal. Munier est venu la voir la semaine dernière, lui a ordonné de sortir au moins tous les deux jours.

— Et elle l'a fait?

Éric secoua la tête négativement.

Au troisième tour du stade, Éric rejoignit Thierry et Andreas à l'abri du tas de sable. Un de ses camarades de classe lui lança une insulte, sur le ton de la plaisanterie, et continua sa course. Il ne serait venu à personne l'idée de les dénoncer au prof de gym. D'ailleurs, par ce froid, M. Lorrain avait rejoint ses collègues à l'intérieur d'un des bâtiments en préfabriqué du stade, et n'en sortirait que dans une bonne demi-heure. De temps en temps, l'un des professeurs d'éducation physique quittait le relatif

confort des vestiaires, se montrait dans l'encadrement de la porte, encourageait de la voix
les élèves. Ceux-ci s'accordaient à penser que
la situation était profondément injuste. Au
moins leur permettait-elle de s'abriter pendant
un tour ou deux, par petits groupes, derrière le
tas de sable du terrain de saut en longueur, à
l'autre extrémité du stade.

— Il va falloir vous y remettre, dit Éric en
reprenant son souffle. Sinon, Lorrain risque de
repérer votre absence.

— On s'en fout, le coupa Andreas. Écoute,
je retire tout ce que j'ai dit sur le vieux de la
boutique, en Angleterre. Que Lucifer le
bénisse! Que son équipe de foot préférée
gagne tous les matchs de l'année prochaine!
Que son inspecteur des impôts meure écrasé
sous un 38 tonnes!

— Qu'est-ce que tu racontes?

— Tu n'a pas essayé l'Expérience ultime?
demanda Thierry, les yeux brillants. Tu n'as
pas réussi à relancer ton ordinateur?

— Si, si, mais non. Je veux dire… La bécane

marche, mais je n'ai pas réessayé le jeu. D'autant plus que je n'ai pas fait de copie de la disquette.

— Il faut que tu voies ça de tes propres yeux, continua Thierry. C'est absolument fabuleux. Je n'ai jamais rien vu de tel. J'ai passé deux heures dessus après votre départ... Si ma mère n'avait pas insisté, je crois que j'aurais séché la gym. C'est d'une complexité, d'une intelligence...

— C'est le jeu le plus extraordinaire que j'aie jamais vu, mon pote. Tu as vraiment l'impression d'y être. Rien à voir avec les jeux en 3-D habituels, renchérit Andreas.

— Nous étions en train d'échanger nos premières impressions quand tu es arrivé. Et nous n'arrivons à nous mettre d'accord sur rien. À croire que nous n'avons pas joué au même jeu... Andreas a choisi le mode Corps à Corps, j'ai commencé une campagne en mode Stratégie. Il a choisi la Guerre du Viêtnam, j'ai préféré Verdun. Rien n'est similaire dans ce que nous avons vu à l'écran...

— J'ai passé une heure dans les rizières,

enfoncé dans la boue jusqu'aux genoux, sous un déluge de flammes, d'explosions. C'était absolument magnifique…

— Je dirige plusieurs bataillons français lors d'une action de reconquête de terrain à Verdun, en novembre 1916. Tout y est, depuis la simulation météorologique jusqu'au degré d'épuisement des troupes… Une avalanche de paramètres, plus nombreux et plus subtils que le plus minutieux des wargames. Mais en même temps, une souplesse d'utilisation…

— Finalement, je suis tombé sur l'entrée d'une planque viêt-cong, camouflée sous une épaisse couche de terre et de branchages… Je leur ai envoyé deux grenades incendiaires, et ensuite je les ai finis au couteau. Jamais je n'oublierai ça…

— Je ne comprends rien de ce que vous racontez. Ne me dites pas que ces différents niveaux peuvent coexister sur la même disquette…

— Laisse tomber, dit Thierry. Ce n'est pas le problème…

— Mais toi-même, tu disais…

Andreas l'attrapa par le bras, serra pour le faire taire :

— Ferme-la. C'est un conseil d'ami. Ferme-la. Si c'est un rêve, je n'ai pas envie que tu me réveilles, compris ? Ce jeu, mon vieux, c'est le paradis. Mieux que l'alcool, mieux qu'une femme, mieux que DOOM, si tu veux savoir… Essaie-le à ton tour. Ensuite, tu pourras en parler.

Andreas se releva, épousseta le sable humide qui collait aux poils de ses jambes.

— Allez, mon rat. Encore deux tours et on rentre. Je n'ai pas de temps à perdre ici.

— Moi non plus, dit Thierry. Sans blague, hein. Essaie-le. Je t'ai rapporté la disquette que j'ai copiée cet après-midi. Il faut que tu voies ça…

Ils se remirent à courir, laissant Éric en plan derrière son tas de sable, incrédule.

— J'ai à te parler, Andreas.

— Pas maintenant, marmonna celui-ci,

dents serrées, sans un regard vers son père.

Il fixait l'écran, s'attendant à apercevoir, d'une seconde à l'autre, un visage ennemi surgissant de l'amas de lianes et de branchages dans lequel il se frayait un chemin silencieux depuis une heure.

Il y eut un déclic, comme M. Salaun appuyait du pied sur le commutateur électrique, et l'image disparut. Un instant, stupéfait, Andreas contempla l'écran noir, l'unité centrale éteinte. Puis il explosa :

— Mais t'es malade ou quoi ? Tu te rends compte de ce que tu viens de faire !

— J'ai à te parler, répéta son père, et sans plus se soucier de la colère d'Andreas, il s'assit sur l'unique tabouret de la pièce. Le proviseur du lycée a téléphoné à ta mère cet après-midi.

— Et alors ?

— Votre cours de mathématiques a été interrompu ce matin. De fait, si j'ai bien compris, tous les cours ont été interrompus pendant deux heures, à la suite d'une alerte à la bombe.

— Et alors?

— Arrête de répéter «et alors?». Un ingénieux petit dispositif a été découvert dans un placard de ta salle de classe. Le proviseur sait que tu es responsable.

— Comment ça, il sait?

— Disons qu'il a de fortes présomptions. Cela ne devrait pas t'étonner.

— N'importe quoi. Pour m'accuser, il faudrait des preuves…

— Effectivement. C'est bien la seule raison pour laquelle tu n'es pas renvoyé. Je lui ai écrit une lettre en ce sens.

— De toute façon, ça fait des années qu'il en a après moi. À chaque fois, c'est la même chose…

— Raison de plus pour être prudent. Je sais que c'est toi. Tu es prévenu. Je ne veux plus aucun incident de ce genre. C'est bien compris?

— Qu'est-ce qu'il y a? Tu te dégonfles à cause du proviseur, c'est ça? Tu es le premier à dire que c'est partout la même racaille, les mêmes magouilles… des cocos, des pédés, des boukèques… Mais il suffit que je fasse exploser un malheureux pétard et toi…

La gifle cueillit Andreas en pleine figure, l'envoya sur le lit. Son père s'était levé, se tenait prêt à frapper si Andreas esquissait le moindre geste. Ce n'était pas la première fois qu'ils en venaient aux mains, et malgré sa force et sa carrure, Andreas savait qu'il n'aurait pas le dessus.

— De la discipline… c'est tout ce que je te demande. De la discipline. Tu as le droit de ressentir de la colère, tu as le droit de les détester. Tu as même le droit de me haïr. Mais tu dois montrer de la discipline. C'est le seul moyen de triompher de… ces gens-là. Le moment n'est pas venu de les affronter, et pour l'instant, nous devons encore courber l'échine.

— Pendant combien de temps… Pourquoi pas tout de suite…

— Parce que nous ne sommes pas prêts. Je t'interdis de recommencer ce genre de stupi-

dités, au lycée ou ailleurs. Tu connais mes res-
ponsabilités. Je ne veux pas être traîné dans la
boue par des petits journaleux parce que mon
fils fout la merde dans son lycée de seconde
zone.

— Il te faut de la respectabilité, c'est ça...

— Prends-le comme ça te chante.

— Et vos descentes dans le quartier des
bougnoules, en pleine nuit, pour défoncer
leurs bagnoles et leur putain de mosquée,
c'était respectable, ça?

M. Salaun saisit son fils par le col, le souleva du lit:

— Je n'ai pas entendu ce que tu viens de
dire, petit con. Je l'ai effacé de ma mémoire à
l'instant, et je te conseille de faire de même.

Andreas hocha la tête, partagé entre la
honte et un délicieux sentiment d'abandon.

— Plus de conneries au lycée, c'est compris? Je ne veux pas que tu te fasses remarquer.

M. Salaun relâcha son fils, tourna les talons.

— Pendant que tu y es, débarrasse-nous du
désherbant et de toutes les cochonneries que

tu as entreposées dans le garage. Je n'ai pas envie que ta mère fasse griller la baraque en garant sa voiture.

– Mon général?

Thierry sursauta. La voix avait retenti si près de lui... Pendant un instant il crut que quelqu'un se trouvait dans la chambre à ses côtés. *Même les effets sonores sont hors du commun*, songea-t-il. C'était mieux qu'au cinéma, mieux que le son Dolby, mieux que le THX. Malgré la petite taille des enceintes incorporées dans l'ordinateur, le son semblait parfois naître d'un recoin de la pièce.

– Mon général? répéta la voix, comme gênée d'interrompre sa méditation.

Sur l'écran défilait une forêt dévastée par les tirs d'artillerie, entre Verdun et Montmédy. Une nappe de brume fantomatique flottait au-dessus du sol, à travers laquelle, ici ou là, Thierry apercevait les vestiges disloqués d'un mortier de 370 mm ou la silhouette flasque d'un cadavre empêtré dans des rouleaux de barbelés.

– Général Boisdeffre ? insista la voix.

Thierry tourna la tête sur la droite. Le capitaine de Marigny baissa les yeux sur la pile de rapports qu'il venait de sortir de sa sacoche.

– Excusez-moi, mon général, mais nous approchons du lieu de rendez-vous. Je pense qu'il serait utile que vous preniez connaissance de quelques-uns des documents qui nous sont parvenus ce matin même.

Le capitaine de Marigny devait approcher la cinquantaine. C'était encore un bel homme, soucieux du maintien de sa personne même au plus fort des combats. Ses moustaches, raides de pommade, rebiquaient légèrement vers le haut, soulignant sa coquetterie. Thierry, sous le choc, resta tassé sur la banquette sans répondre. Il jeta un regard halluciné autour de lui. Marigny, occupé à trier ses fiches, ne sembla pas s'en apercevoir.

Un instant auparavant, Thierry se trouvait dans sa chambre, occupé à tenter de repousser une attaque concertée de l'armée allemande sur son flanc est. Les pertes autour de Verdun augmentaient de jour en jour, et Thierry se demandait s'il n'avait pas fait une grossière erreur, la veille au soir, en remerciant le général Pétain le 8 avril 1916 pour confier les rênes de la contre-attaque française sur le front ouest au général Nivelle. Depuis plusieurs mois, rien n'allait comme il le souhaitait. Le haut commandement avait beau envoyer au front des divisions toujours plus jeunes, assurer une rotation accélérée des unités sur le terrain, diminuer, voire supprimer les permissions, l'armée allemande, supérieure en hommes et en équipements, grignotait chaque jour du terrain, sans que les troupes françaises réussissent à le reconquérir. Sans le succès inespéré de l'offensive britannique sur la Somme fin juin 1916, qui avait contraint l'adversaire allemand à y expédier plusieurs divisions et à affaiblir momentanément ses positions autour de Verdun, le front aurait été enfoncé depuis longtemps. Pourtant Nivelle rendait régulièrement visite à ses hommes sur la ligne de feu, répétant à qui voulait l'entendre : «Ils ne passeront pas!», faisant appel au patriotisme et au courage des soldats français. Mais l'intensité des bombardements continus, l'interruption fréquente des ravitaillements, l'importance des pertes subies contribuaient à l'usure des troupes. Thierry ne connaissait pas les pertes de son adversaire. Il les estimait à au moins un tiers des siennes, mais n'avait jusqu'ici aucun moyen de vérifier cette hypothèse. Ce qui venait de se passer au mois de mai 1917 à Laon et à Reims laissait supposer que le moral des troupes allemandes n'était guère meilleur que celui des troupes françaises. Fatigué de voir stagner le conflit depuis plusieurs mois, Thierry avait commandé une attaque massive sur le front de l'Aisne, à l'ouest de Verdun. Des unités entières de soldats français, lancés à l'assaut de forteresses allemandes jusque-là imprenables. La ligne de front avait certes avancé de quelques centaines de mètres, mais le prix en vies humaines avait été considérable. Tout cela n'aurait pas été catastrophique, car Thierry gardait en réserve la possibilité d'enrôler dans l'armée des conscrits de moins de dix-huit ans dans les classes 1917 et 1918, mais cette offensive risquée avait eu des conséquences déplorables sur le moral des soldats. Des unités combattantes, de chaque côté de la ligne de front, avaient cessé le feu pendant plusieurs jours, puis certaines d'entre elles avaient même parcouru en arborant un drapeau blanc le no man's land qui les séparait pour fraterniser. Sur la carte d'état-major, le front de l'Aisne s'était alors immobilisé, depuis cinq semaines maintenant. Thierry tentait de résoudre ce nouveau casse-tête, quand une scène cinématique s'était mise en marche sur l'écran. La caméra avançait le long d'une route de campagne, laissant voir à travers la brume les ruines d'un champ de bataille long de plusieurs dizaines de kilomètres. Les troncs d'arbres morts criblés de balles, les cratères d'obus pleins d'une eau immonde, la monotonie du décor avaient lentement sapé la volonté de Thierry. Il s'était laissé aller à une méditation distraite, et avait dû s'assoupir... *Je suis en train de rêver*, se dit-il. *J'ai dû tomber raide dans mon fauteuil devant l'écran...* Il savait qu'il lui suffisait d'un minime effort pour se réveiller, mais la situation était si étrange, si irréelle, qu'il décida d'en profiter encore un moment. Le chauffeur évita une crevasse au milieu de la route, envoyant le général Thierry Boisdeffre glisser contre son capitaine d'ordonnance. Quelques feuilles tombèrent des genoux de Marigny, et Thierry se pencha en avant pour les ramasser.

– Je vous en prie, mon général...

Marigny se baissa, chercha sous la banquette. Ils étaient à l'arrière d'une Panhard Levassor, sans doute un taxi réquisitionné par l'armée française. Le froid pénétrait par tous les interstices, malgré les vitres fermées, et chacune de leurs expirations dégageait dans la voiture un nuage de buée. La sensation était si intense que Thierry frissonna.

– Je disais, mon général, que nous arrive-rons au point de rendez-vous dans une dizaine de minutes tout au plus. Il est temps de ratifier ces quelques feuillets avant de les remettre au général Nivelle.

— Bien sûr, bien sûr, bredouilla Thierry, et sa voix, une voix d'homme mûr, rauque, pleine de flegme, le troubla.

Il jeta un regard vers le rétroviseur intérieur de la voiture, découvrit son visage, le visage lourd, plissé de rides, d'un homme de 60 ans. Pétrifié, il ne réagit pas quand Marigny lui tendit les documents, se contenta de les poser sur ses genoux sans les lire. Ce n'était pas n'importe quel visage, c'était bien le sien, le visage qu'il aurait dans une cinquantaine d'années. Un visage dans lequel il retrouvait certains des traits de son père, de son grand-père. Ceci, plus encore que tout le reste, déclencha en lui un terrible pressentiment, l'intuition que quelque chose d'indicible, quelque chose d'effroyable, était en jeu. Il sut, sans pouvoir expliquer d'où lui venait cette certitude, qu'il ne s'était pas endormi devant l'ordinateur, qu'il ne s'agissait pas d'un rêve. C'était le printemps, le printemps dévasté d'un mois de mai 1917, et Thierry était passé de l'autre côté de l'écran, dans l'expérience ultime.

— Mesdemoiselles, messieurs, bonjour...
— Bonjour, répondirent quelques voix peu rassurées.

M. Maffioli avait sa tête des mauvais jours. Il avait pénétré dans la salle de classe sans un mot, avait attendu la sonnerie, abîmé dans la contemplation d'une pile de notes sur son bureau. Éric chercha du regard Thierry. Assis deux rangées plus loin, à la droite d'Elena, celui-ci fixait le ciel au-dehors avec une insistance étrange. Éric se retourna, ne discerna rien à part le lent cheminement des nuages. Il échangea un regard interrogatif avec Elena. Elle lui rendit un petit sourire inquiet.

— À la suite d'un incident indépendant de notre volonté... — le professeur de mathématiques laissa traîner sa voix sur la dernière syllabe, chercha Andreas dans la salle et soutint son regard pendant quelques secondes — le contrôle de mathématiques a dû être repoussé d'une journée. C'est fort dommage, et je suis sûr que, comme moi, vous en avez éprouvé de douloureux regrets. Si ce n'était pas le cas, vous allez commencer à le regretter dès maintenant, puisque dans le but de rattraper les deux heures que nous avons perdues hier, et en raison des prochaines vacances scolaires, le cours d'aujourd'hui se prolongera jusqu'à 17 h 30…

– C'est injuste, lança une voix au fond de la classe, et M. Maffioli se tourna dans cette direction avec un rictus de fausse compassion :

– Vous avez tout à fait raison. C'est injuste. Et quand vous verrez l'intitulé du contrôle que je vous ai préparé aujourd'hui, vous trouverez cela encore plus injuste. Si vous n'aviez pas les fesses vissées sur vos sièges pendant les deux heures à venir, je suis sûr que vous pourriez même lancer un SOS de lycéens en détresse, émouvoir les pouvoirs publics, l'ONU, Médecins sans frontières. Manque de pot, par la grâce d'un de vos petits camarades malfaisants, vous allez être coincés ici passé l'heure de fermeture des bureaux avec trois équations à deux inconnues particulièrement gratinées…

— Ce n'est pas notre faute, hasarda une élève au premier rang, et M. Maffioli pivota sur lui-même, comme s'il n'avait pas bien entendu.

Il prenait à l'évidence un plaisir extrême à ce petit jeu pervers, et Éric songea, en repensant à l'expression de panique qui avait altéré le visage du professeur la veille, que M. Maffioli n'était pas prêt de leur pardonner de s'être senti ainsi ridiculisé.

— Ce n'est pas votre faute, chère enfant? J'en suis persuadé. Mais c'est bien la faute de quelqu'un. Et à moins que le coupable se dénonce, ou que l'un de vous me donne un indice…

La classe retint son souffle. Certains firent la moue derrière le barrage de leurs poings fermés. Devant Éric, une toute jeune fille parmi les premières de la classe fit un geste obscène sous la table en direction du professeur.

Dans le silence, le crissement des pieds de la chaise leur fit grincer des dents. Éric se retourna. Tous les regards convergeaient vers le radiateur. Andreas s'était levé, très droit, l'air déterminé.

– Eh bien... murmura M. Maffioli... Si je m'attendais...

Éric fronça les sourcils, tenta d'attirer le regard d'Andreas, de l'arrêter. Qu'est-ce que c'était qu'un contrôle de maths de plus ou de moins? Il risquait un avertissement supplémentaire, peut-être même l'exclusion...

– Il faut que je le dise. Je ne peux plus le garder pour moi, dit Andreas d'une voix éteinte.

– Nous vous écoutons, dit M. Maffioli, partagé entre le trouble et le triomphe.

– C'est... c'est un acte des terroristes islamistes. Juste avant que ça pète, hier, j'ai reconnu une odeur de couscous...

Un instant, la classe se tut, puis des rires fusèrent çà et là. Andreas ne put réprimer un sourire, se rassit. Maffioli fulminait. Il marcha à grandes enjambées vers le bureau, commença la distribution des sujets en serrant les dents. Il atteignait la troisième rangée quand, avec un cri étranglé, Thierry bondit de son siège, tendit le bras en direction du tableau et s'effondra.

Le couloir du service des urgences était encombré par de nombreux brancards vides. Éric et Elena se frayèrent un chemin à la suite de l'infirmière, pénétrèrent dans un box aux murs carrelés de blanc. Au-dessus de la tête du lit, une demi-douzaine de câbles électriques et de tubes de plastique opaque reliaient Thierry à une batterie de moniteurs. Les yeux rivés sur le visage livide de son ami, Éric n'entendit pas tout de suite la question de l'interne de garde. Elena lui toucha l'épaule, et il se tourna vers le jeune médecin avec un frisson.

— Tu le connais? Boisdeffre Thierry, c'est ça? Tu le connais?

Éric hocha la tête.

— C'est ton copain de classe, c'est ça? Il a déjà eu des malaises comme celui-là?

— Non, jamais. Enfin il ne m'en a jamais parlé.

— Tu sais s'il est suivi médicalement?

— Pardon?

— Un médecin... Est-ce qu'il a un médecin traitant, un médecin de famille?

— Oui, c'est le docteur Munier, c'est le même que le mien.

— Munier... Munier... c'est rue de l'Abbaye, ça, non? Tu peux me faire son numéro, Béatrice?

L'infirmière acquiesça, pianota sur le téléphone mural et demanda le standard.

— Et ton copain Thierry, il lui arrive de fumer?

— Ah non, il a horreur de la cigarette, ça le fait tousser!

— Non, je veux dire... Tu sais... fumer... un petit joint, quoi, par-ci par-là...

L'interne souriait, un sourire de connivence qu'Éric, sans savoir pourquoi, trouva obscène.

— Ah non. Surtout pas lui. Il est complètement clean, vous voulez rire. Mon copain Andreas l'appelle Monsieur Propre, c'est pour dire…

— Ah bon…

L'interne fit la moue, visiblement dépité par cette réponse.

— Alors vous ne fumez pas, rien du tout… Pas d'alcool, non plus, ou des médicaments?

— Ben non, puisque je vous dis qu'on est clean…

L'interne jeta un œil sur Elena, se fendit d'un sourire appréciateur en direction d'Éric :

— Ouais, je vois ça… Et ton copain, qu'est-ce que tu sais d'autre sur lui? Il fait du sport, il est facilement essoufflé, je ne sais pas… raconte-moi un peu…

— Non, il n'est pas très sportif, Thierry. Son truc, c'est plutôt l'électronique, l'informatique. C'est lui qui répare nos bécanes quand on a un problème de…

Le regard de l'interne s'était soudain éveillé :

— Un ordinateur? Ton pote a un ordinateur? Vous jouez à des jeux vidéo?

— Ben oui... comme tout le monde...

— Combien de temps passe-t-il devant son écran par jour?

— J'en sais rien, je ne lui ai pas demandé...

— Et toi?

— Une heure ou deux, parfois trois...

— Mais vous êtes dingues! Tu ne sais pas que c'est dangereux? Vous pouvez vous bousiller les yeux avec ces trucs-là, sans compter les crises d'épilepsie!

Éric faillit répondre que sa mère ingurgitait douze heures de télévision non-stop par jour sans dommage apparent, se ravisa. Il n'était pas certain que l'exemple fût particulièrement bien choisi.

— Ça y est, j'ai le médecin traitant en ligne, coupa l'infirmière.

L'interne se rua sur le téléphone. Éric et Elena s'approchèrent du lit métallique. Leurs visages étaient graves. Thierry avala sa salive, passa sa langue sur ses lèvres desséchées, comme par réflexe. Éric entendait derrière lui l'interne annoncer au docteur Munier, d'un ton légèrement condescendant, qu'il venait de dépister une épilepsie chez le jeune Boisdeffre. Munier dut s'en étonner, car l'interne répliqua, avec superbe :

— Que voulez-vous... Il suffit parfois de les interroger... Il passe près de trois heures chaque jour devant son écran...

Éric faillit se retourner, interrompre la conversation, protester, mais le regard de Thierry vrilla le sien.

— Le jeu...

C'étaient les premiers mots qu'il prononçait depuis son malaise. Allongé à terre, les yeux révulsés, puis plus tard, dans le camion des pompiers, il n'avait soufflé mot.

Éric fit signe qu'il avait entendu.

— N'y joue pas. Surtout n'y joue pas. Tu m'as compris ?

Éric acquiesça, éberlué. Elena, intriguée, observait leur conversation.

— Dis à Andreas... dis à Andreas qu'il doit

absolument arrêter. Il ne se rend pas compte…
murmura Thierry avant de fermer les yeux.

Éric crut qu'il s'était endormi, mais
Thierry rajouta encore :

— Il ne sait pas ce qu'il fait.

La pluie avait commencé à tomber dès
qu'ils avaient quitté l'enceinte de l'hôpital.
Éric et Elena s'étaient mis à courir, avaient
juste eu le temps de voir disparaître à l'angle
du boulevard l'autobus qui aurait pu les rame-
ner au centre-ville. Ils avaient ralenti l'allure,
hésité un moment. Le vent s'était levé, et
l'Abribus ne leur offrait aucune protection
contre les rafales de grêle qui venaient les
tremper jusqu'aux os. Ils s'étaient mis en
route, pliés en avant pour offrir moins de
résistance au vent, tentant sans trop y croire de
se faire prendre en stop. Les voitures passaient,
aveugles, éclaboussant le trottoir de gerbes
d'eau argileuse. Trempés, sonnés par le froid,
ils avançaient. Insensiblement, sans même s'en
rendre compte, ils s'étaient rapprochés. Éric

avait passé son bras autour du bras d'Elena, pour l'empêcher de trébucher, comme il l'aurait fait pour sa mère dans pareilles circonstances.

La pluie cessait maintenant, laissant la place à un arc-en-ciel. Tout le long du chemin, ils n'avaient pas échangé une parole. À l'aller, dans l'ambulance, la présence d'un infirmier aux côtés de Thierry les avait contraints au silence. Au retour, la pluie avait noyé toute tentative de conversation. Éric ne savait pas quoi dire. Il se rapprochait du centre-ville, du lycée, mais ne voyait pas comment, dans un tel état, il leur serait possible de retourner directement en cours. Il ne savait même pas quelle heure il était. Pour ce faire, il aurait dû ôter son bras de l'emprise d'Elena pour consulter sa montre. Il n'en était pas question.

Ses pas le menèrent à un dernier embranchement. Sans réfléchir, il prit à droite, vers son domicile, laissant le lycée derrière eux. Il s'attendait à tout, à ce qu'elle résiste, à ce qu'elle lui demande s'il s'était trompé de route, voire même à ce qu'elle le gifle. Elle ne dit rien, se serra un peu plus fortement contre lui. Elle tremblait. Lui aussi. Il essaya de se convaincre que ce devait être la fièvre. Dans l'instant, son cœur chavira. Il songea à sa mère, à ce qu'elle dirait en le voyant dans cet état, à ce qu'elle imaginerait en découvrant Elena. Il fut pris de vertige et de honte. Il avançait comme un automate. Il fallait dire quelque chose, n'importe quoi, rebrousser chemin. Il releva la tête, cherchant l'inspiration. Les cheveux d'Elena, ruisselants de pluie, se collèrent à sa joue. À quelques mètres devant lui, Mme Boisdeffre, la mère de Thierry, garait sa voiture.

Il était déjà dix-sept heures. Au-dehors la nuit tombait. Seul dans la grande maison vide, Éric avait conduit Elena dans la chambre de son ami. La mère de Thierry avait réagi avec une froideur apparente qu'avait démentie son invitation à rentrer chez elle se sécher. Éric avait pris soin de répéter que Thierry leur avait parlé, qu'il était conscient, qu'il n'était pas blessé. Mme Boisdeffre hochait la tête sans rien répondre, pianotait en vain sur le cadran du téléphone.

– Je n'arrive pas à joindre mon mari. Pouvez-vous attendre son retour? Lui expliquer que je suis partie à l'hôpital? Vous en profiterez pour vous changer, tu es trempé…

Éric songea qu'il était sans doute trop tard pour retourner en cours, et l'idée de rester seul avec Elena dans la grande maison sous la bénédiction d'un adulte, au lieu de reprendre le chemin du lycée, lui sembla lumineuse.

Éric s'était assis sur le lit de Thierry, se frictionnait énergiquement les cheveux avec une serviette moelleuse. De la salle de bains lui parvenait le bruit de la douche. Il devait faire un effort pour se concentrer sur ce qu'il faisait. Ses jambes, comme mues par un ressort interne, tressautaient contre le rebord du lit, sans qu'il puisse les contrôler. Sans réfléchir, il se trouva devant la porte de la salle de bains, effleura la poignée. Une grosse boule d'angoisse lui bloquait la gorge. Il jeta un regard éperdu autour de lui, dans cette chambre trop bien rangée dont il croyait tout connaître. Les magazines informatiques soigneusement empilés dans la bibliothèque, les maquettes d'avions de chasse et les médailles de water-polo du père de Thierry, les photographies de communions et de mariages familiaux, seule décoration autorisée aux murs, semblaient appartenir à un passé lointain. La présence d'Elena dans la salle de bains avait brutalement modifié la topographie des lieux, leur conférant une aura de mystère, de danger. La porte s'ouvrit, sans qu'il eût esquissé un geste.

– Comment te sens-tu?

Thierry tourna la tête vers la porte de sa chambre. Dans la pénombre, il distingua les traits du docteur Munier, chercha à tâtons la commande électrique, appuya sur un bouton.

Le dossier du lit électrique se souleva d'une dizaine de centimètres.

— Ne cherche pas, c'est là, dit Munier, et il tira un petit cordon en plastique près de la table de nuit.

Le plafonnier s'alluma. Le médecin s'assit sur le rebord du lit, esquissa un sourire :

— Ça n'a pas l'air d'aller très fort...

— Je suis fatigué... simplement fatigué... J'ai envie de dormir... mais ça va... Vous savez si mes parents ont été prévenus ?

— Je ne peux pas te dire. L'hôpital m'a appelé, j'imagine qu'ils ont dû joindre tes parents... Raconte-moi donc un peu ce qui t'est arrivé.

— J'ai eu un malaise.

— Mais encore ?

— Je ne me suis pas senti bien, j'ai voulu me lever pour aller à la fenêtre...

— Tu manquais d'air ?

— Oui... j'avais comme du coton dans les oreilles, et l'impression d'avoir chaud et froid en même temps...

— Tu avais mangé à midi?

— Ben... pas vraiment...

— De quand date ton dernier repas?

— Hier soir...

— Hier soir!

Munier secoua la tête, réfléchit un moment:

— Tu l'as dit à l'interne des urgences?

— Non, il ne me l'a pas demandé...

— Et dis-moi... tu t'es fait mal en tombant? Tu t'es blessé, tu t'es mordu la langue?

— Non.

— Ça t'est déjà arrivé, des malaises comme celui-là?

— Jamais.

— Tu n'as pas... tu n'as pas uriné pendant ton malaise?

— Pardon?

— Tu ne t'es pas pissé dessus, tu ne t'es pas souillé?

— Non!

Mme Boisdeffre entra en coup de vent dans la chambre. Elle croisa le regard du docteur Munier, qui lui sourit pour la rassurer, se leva du lit. Elle s'approcha de son fils, écoutant d'une oreille les explications rassurantes du médecin, cherchant à surmonter son inquiétude. Thierry décela dans les yeux de sa mère quelque chose qu'il n'avait plus vu depuis longtemps, et le poids qui pesait sur sa poitrine depuis la veille s'allégea quelque peu.

— Je ne crois pas du tout qu'il s'agisse d'une crise d'épilepsie. D'après ce qu'il décrit, ça ressemble beaucoup plus à un malaise vagal, une hypoglycémie banale. Il n'avait rien avalé depuis hier soir… Pas étonnant qu'il ait eu un malaise…

— Mais le médecin aux urgences m'a dit que c'était probablement lié à son ordinateur, aux jeux auxquels il joue…

— Franchement, je crois que ça n'a rien à voir… Vous savez, un grand nombre de mes patients passent plusieurs heures par jour devant l'écran de leur téléviseur sans présenter de crises de grand mal toutes les cinq minutes…

– De toute façon, la question est réglée, interrompit Thierry, toujours allongé au fond de son lit.

Sa voix était forte, contrastait avec la pâleur de son teint. Les deux adultes se tournèrent vers lui, étonnés :

– La question est réglée. Je ne toucherai plus jamais à cet ordinateur.

Elena ramena ses longs cheveux encore humides en arrière, chercha un endroit où poser sa serviette. À la sortie de la salle de bains, elle s'était trouvée nez à nez avec Éric. L'espace d'un instant, leurs haleines s'étaient mêlées. Il avait une odeur acide, l'odeur de sa peur de garçon, et elle s'était demandé, fugitivement, quel goût auraient ses lèvres. Il avait rougi, penaud, et n'avait pas remarqué la jubilation de la jeune fille. Il avait balbutié quelque chose au sujet de la pluie, de la nécessité de sécher ses cheveux pour ne pas attraper froid, et elle avait hoché la tête, doctement, retenant un fou rire. Elle avait immédiatement compris pourquoi il se tenait derrière la porte. Il avait entendu couler l'eau, il l'avait imaginée prenant une douche, mais n'avait pu se résoudre à venir la rejoindre. Et maintenant, pris au piège de son propre mensonge, il se retrouvait seul dans la salle de bains, à s'arracher le cuir chevelu avec une serviette, tandis qu'elle patientait, de l'autre côté de la porte cette fois-ci. Pourvu que le père de Thierry ne rentre pas trop tôt. Ce serait dommage. Depuis des semaines maintenant Elena avait remarqué le manège d'Éric, son air vacant, ses naïves tentatives d'approche, si différentes de celles des garçons auxquels elle était habituée. D'ailleurs, s'y était-elle jamais habituée... Éric était jeune, beaucoup plus jeune qu'elle dans sa tête même s'il n'avait que deux ans de moins. Sans le savoir, il faisait vibrer en elle des souvenirs enfouis, souvenirs d'avant la guerre, souvenirs d'un autre monde, où tout était plus clair, plus lumineux, plus doux. Puis son pays était devenu fou, et prise dans la tourmente, elle avait voulu devenir adulte, vite, trop vite. Goûter aux plaisirs de la chair avant qu'il ne soit trop tard. De son initiation précipitée, des deux ans de mensonges et de duperies qui avaient suivi, elle avait gardé un goût amer. Son premier amant, un ami de son père, l'avait rapidement déçue. Riche négociant en vin, Mihaïl lui avait fait miroiter un avenir illusoire avant de se débarrasser d'elle avec un chèque et une montre en or le jour où elle avait cru être enceinte. Il n'en était rien, mais la leçon avait été cuisante. Elle avait eu deux amoureux ensuite, mais l'un d'entre eux, Stefan, un opposant au régime, avait été arrêté lors d'une rafle pour avoir participé à la rédaction d'un journal satirique interdit à la vente. Elena elle-même avait été interrogée, longuement, avant que son père, faisant jouer ses relations, ne la tire d'affaire. Peu de temps après, il l'avait expédiée ici, chez sa tante, mariée à un ingénieur français. Prétextant la dureté des temps, et le risque qu'elle courait à s'acoquiner avec des brigands et des *hooli-*

gans. Elle avait cru mourir de honte, avait dû ravaler sa rancœur. Si son père avait pu savoir que Stefan n'était pas le premier homme qu'elle avait connu, qu'un de ses proches amis, un homme avec qui il partait à la chasse tous les week-ends, lui avait volé sa fille… Elle ne dit rien, accepta la punition. Découvrit bientôt la France, d'abord avec étonnement, puis avec joie. Elle se sentait à l'aise ici, loin des combats et des discours belliqueux. Pour parfaire son français, elle s'était d'abord forcée à suivre régulièrement les informations télévisées. Des cartes de son pays apparaissaient chaque jour à l'écran, accompagnées de commentaires qu'elle comprenait mal, et d'images de soldats désœuvrés piétinant dans la neige. Des hommes politiques de son pays étaient parfois interviewés, et elle montait alors le son pour tenter de saisir, sous la traduction instantanée, le rythme de sa langue natale. Mais tous, sans doute pour montrer au monde leur érudition, s'exprimaient en français ou en anglais, à l'exception, parfois, de quelques militaires, hommes de terrain qui ne semblaient guère priser ces courbettes envers les Occidentaux. Elle reconnaissait certains d'entre eux, des héros maintes fois décorés dont elle se souvenait d'avoir entendu vanter les prouesses à la radio dans son pays, mais que Stefan, qui se déclarait anarchiste, méprisait. Sans partager ses idées, elle avait aimé chez lui ce côté rebelle. Elle découvrit peu à peu, tandis que sa maîtrise de la langue française s'affirmait, que les opinions de Stefan étaient plus répandues qu'elle ne l'avait cru, et que, sans doute mal informées, la majorité des journalistes français traitait à mots couverts les grands généraux de son pays d'assassins, de criminels de guerre. Lorsqu'elle s'en était rendu compte, elle s'était sentie trahie, bafouée par ce pays qu'elle apprenait à aimer. Criminels de guerre! Quel grand mot! Quelle ineptie surtout, de la part d'un pays qui vantait les droits de l'homme en vendant des armes! Comme si toute guerre ne portait pas en elle-même les germes du crime… De quel droit les Occidentaux décernaient-ils aux uns et aux autres des étiquettes d'agressé ou d'agresseur, de bourreau ou de victime? La guerre était une horreur, Elena le savait. Mais, et les journalistes français semblaient l'avoir oublié, c'était parfois une horreur nécessaire.

Elle replia la serviette et la posa sur le bureau de Thierry. Sa main frôla le clavier de l'ordinateur, et l'écran de veille, sur le fond noir duquel flottaient des poissons multicolores, disparut pour laisser place à une rue de village en ruine. Un instant, désorientée, elle hésita. L'image semblait tout droit sortie d'un téléviseur. Elle saisit la souris sur le bureau, la déplaça. Un curseur apparut à l'écran, décrivit un petit cercle. Dans la salle de bains, elle entendit Éric tousser pour couvrir le bruit de la chasse d'eau. Le cadre de l'image se rétrécit sur un coin de rue, comme si l'ordinateur avait activé un zoom. Elle distinguait maintenant, vus de trois quarts haut, comme si elle survolait la ville en hélicoptère, trois hommes vêtus de treillis et de vestes de camouflage. L'image était si détaillée qu'elle put discerner le petit nuage de buée s'échappant de la bouche de l'un d'entre eux. Ils avançaient en triangle, l'air décontracté, armes pointées en périphérie de leur phalange. Elle amena le curseur sur l'un d'entre eux, cliqua au hasard. Une série de statistiques apparut sur une barre au bord inférieur de l'écran, puis disparut lorsqu'elle releva le doigt. Prise au jeu, elle amena le curseur sur l'entrée d'un bâtiment délabré, une auberge au toit défoncé par la mitraille. Le personnage sur lequel elle avait cliqué en premier lieu dévia de sa trajectoire, se dirigea vers la porte en bois, suivi par ses camarades. Un banc de nuages passa au-dessus d'eux, dessinant à leurs pieds des ombres fuyantes. Puis tout alla très vite. Une vieille femme sortit de l'auberge en courant, glapissant des invectives. L'homme le plus proche la menaça du bout du canon de son arme, lui cria de se calmer. Pour toute réponse, elle lui cracha au visage.

Le doigt d'Elena se crispa sur la souris. La

rafale faucha la vieille femme, l'envoya voler en arrière. Ses membres battirent une gigue obscène, puis elle s'affaissa sur elle-même, laissant sur le mur de crépi une longue trace brune.

Choquée, Elena lâcha la souris, fronça les sourcils comme pour éviter de voir ce qui se passait à l'écran. Très loin, très, très loin, un téléphone sonnait. Les trois hommes entrèrent dans l'auberge, et comme par enchantement le toit disparut, permettant de discerner entièrement le rez-de-chaussée, comme s'ils avaient pénétré dans une maison de poupée éventrée. Ils avançaient méthodiquement, calmement, prenant garde à ne pas se placer dans la ligne de mire les uns des autres, couvrant tour à tour l'homme de tête. Leur savoir-faire, sans qu'elle eût pu expliquer pourquoi, éveillait en Elena un profond sentiment de panique. Enfin l'un d'entre eux passa entre les tables, derrière le bar. Le curseur se déplaça sur une trappe cachée sous un enchevêtrement de cartons vides. L'homme avança, les repoussa du pied, souleva la trappe. La lumière dessina les premiers barreaux d'une échelle, la terre humide d'une cave. Des cris jaillirent, pleurs de femme, cris d'enfants.

— Zoran, cria l'homme de tête, c'est pour toi.

Il avait parlé en serbe, la langue maternelle d'Elena. Zoran accourut, fouilla dans sa sacoche dorsale, en retira un objet noir, brillant. Dans la cave, une longue plainte s'éleva, se mua en un hoquet insoutenable, à peine humain. Elena porta les mains à ses oreilles, voulut fermer les yeux sans y parvenir. Zoran dégoupilla la grenade, la laissa choir dans l'ouverture, puis se retira précipitamment, suivi par l'homme de pointe. Ils arrivaient au bout du bar quand une femme jaillit de l'ouverture, portant un enfant à bout de bras. L'homme tira au jugé. Une sourde déflagration secoua la cave, illuminant brièvement la femme et l'enfant dans un holocauste de flammes. Calcinés, ils retombèrent dans les ténèbres.

L'angle de prise de vues changea, comme la caméra virtuelle s'abaissait, se positionnait maintenant au niveau du visage des trois hommes. Le troisième sortit un paquet de Lucky Strike d'une poche de sa vareuse, le tendit aux deux autres avant de se servir.

– Joli tableau, Zoran. C'est toi qui paies le coup ce soir...

L'homme de tête rit, un rire sauvage de contentement, tandis que le père d'Elena, tirant une bouffée de sa cigarette, haussait les épaules.

La porte d'entrée claqua au rez-de-chaussée. Éric quitta précipitamment la salle de bains, mû par un sentiment diffus de culpabilité. *Ce doit être le père de Thierry*, songea-t-il. Il ne voulait pas qu'un adulte le découvre ainsi, les cheveux ébouriffés, les joues en feu.

À sa grande surprise, la chambre de Thierry était vide. La serviette d'Elena était tombée à terre. Il fit quelques pas dans le couloir, descendit les premières marches de l'escalier monumental qui menait au rez-de-chaussée. Personne. Alors seulement il réalisa qu'elle était partie, qu'elle l'avait fui. Partagé entre la déception et une forme de soulagement, il retourna à la chambre, inspecta les lieux comme s'ils pouvaient contenir un indice. Il ramassa la serviette, la porta à son visage. Une odeur de savon, mêlée à quelque chose de plus intime, lui fit tourner la tête. Il cessa de respirer quelques instants, s'enivrant de cette fragrance. *Quelle heure était-il donc?* Au-dehors, la nuit était tombée. Il songea à téléphoner à la maison, pour rassurer sa mère, puis décida de n'en rien faire. Mme Boisdeffre lui avait confié une mission, dont il s'acquitterait jusqu'au bout. Les circonstances du malaise de Thierry, le trajet en ambulance, le retour sous la pluie avec Elena, tout cela avait l'air d'un rêve.

Il s'assit devant l'écran, pianota sur le clavier.

— Liaison en cours... annonça l'écran.

Sur la partie droite de l'écran, une carte

apparut, carte d'un village entouré de collines. La barre d'écran à gauche indiquait quantité d'informations sur les capacités de production du village, son nombre d'habitants. Un cadran d'horloge en haut de l'écran égrenait les minutes. Dans le jeu, il était 16 h 22. Éric laissa glisser le curseur de la souris sur la carte, et l'écran afficha tour à tour les qualités de chacun des bâtiments :

Église de Santa Maria, résistance : 450 points, capacité : 1 226 personnes, production : 0.

Manufacture d'armes, résistance : 125 points, capacité : 135 personnes, production : 145.

Mairie, résistance : 175 points, capacité : 225 personnes, production : 0, armes et munitions : 192.

Intrigué, Éric cliqua sur la mairie, qui grossit pour occuper toute la partie droite de l'écran. Suivant son intuition, il passa en revue les ressources du village, découvrit l'interface permettant de poser des questions à l'ordinateur. Ressources ennemies, tapa-t-il au clavier. Inconnues, répliqua l'ordinateur. Objectif de la mission en cours, interrogea-t-il. Défendre le village, lui fut-il répondu. Mode de jeu, demanda-t-il enfin. Ses doigts tremblaient sur le clavier. Il se souvenait parfaitement des avertissements de Thierry, mais l'excitation de ces dernières heures avait été telle, le souvenir de la proximité d'Elena était encore si présent à son esprit que jouer était plus un moyen d'assouvir sa frustration qu'un plaisir.

Mode multijoueur, afficha l'écran. Éric se redressa sur la chaise, sortit un instant du jeu pour observer l'ordinateur en face de lui. Il savait que Thierry était un as de la bidouille, que l'un de ses plus grands plaisirs consistait à monter et à démonter sa machine, à lui rajouter ici une barrette de mémoire vive, ici un cache de disque dur... mais jamais son ami ne lui avait dit avoir acheté un modem. Il fit le tour du bureau, inspecta l'arrière de l'unité centrale. Les câbles, qui chez lui comme chez Andreas s'entrelaçaient dans un écheveau poussiéreux, étaient ici soigneusement étiquetés, protégés par des gaines de mousse isolante.

Éric les inspecta l'un après l'autre, ne trouva rien d'anormal. Pas de modem visible sur le bureau ou dans les tiroirs sous-jacents. Bien sûr, Thierry pouvait avoir intégré une carte fax modem interne à son ordinateur, mais dans ce cas, il devait bien exister une connexion entre l'unité centrale et la ligne téléphonique. Éric se saisit du téléphone, suivit le câble jusqu'à la prise Péritel. Rien. Aucun branchement, aucune dérivation. Il se rassit devant l'écran. Au loin, il crut percevoir un grondement. Il pianota fébrilement : Identification adversaire. Fragmeister ; nom de code : Condor, répondit l'ordinateur. Puis la ligne suivante s'afficha à l'écran : Alors mon rat, déjà sorti de l'hosto ? Fais gaffe, je vais t'y renvoyer aussi sec !

La sueur perla sur le front d'Éric. Il tapa :

— Ici Éric. Je suis chez Thierry. Il est toujours à l'hôpital. Qu'est-ce qui se passe ?

— Ce qui se passe ? Ce qui se passe, c'est que je vais vous mettre la pâtée, mes agneaux…

— Je suis sérieux, Andreas. Comment sommes-nous reliés ?

– Par l'action du Saint-Esprit, mon vieux. Que veux-tu que ça me foute? Tu es là pour jouer ou pour discuter? On n'est pas sur 3615-Mesfesses ici.

– Andreas, arrête. Thierry te demande d'arrêter. Il faut absolument qu'on en parle avant.

– Tu fais chier. Tu joues ou tu abandonnes?

– As-tu un modem? Comment sommes-nous reliés?

– Par le jeu, abruti. Nous sommes liés par le jeu. Au cas où tu ne l'aurais pas remarqué, c'est d'ailleurs la seule chose qui nous relie.

– Il faut arrêter, Andreas. Il faut qu'on se parle.

– Le jeu est lancé, pauvre con. Je ne peux pas revenir en arrière. Tu as deux minutes pour te décider. Tu positionnes tes défenses ou tu déclares forfait. Fin de communication.

Le grondement s'amplifiait. Éric se retrouva face à la carte de départ. L'envie de tout plaquer, d'éteindre le moniteur, le traversa. Mais piqué au vif par la hargne d'Andreas, il décida de résister. Il cliqua sur la mairie, sélectionna ses troupes, envoya chacune d'elles sur l'une des artères principales du village, construisit fébrilement des barrages routiers en profitant des avantages naturels du terrain, ici un pont, ici un hangar désaffecté à proximité d'un champ de maïs. À l'intérieur même du village, il disposa ses meilleurs tireurs en hauteur, dans le clocher de l'église, sur le toit de la mairie, de l'école, de la coopérative. Dans un moment de répit, tandis qu'il inspectait la situation, il se demanda ce qu'aurait fait Thierry à sa place. Lui-même, il le savait, n'était pas doué pour réfléchir ainsi, sur le mode stratégique. Quelles éventualités avait-il oubliées? Il regroupa les civils, vieillards, femmes, enfants, au centre du village, près de l'église où en dernier recours il pourrait leur offrir refuge si les forces de son adversaire enfonçaient l'une de ses défenses. L'ennemi était maintenant tout proche. Aux aguets, Éric tentait de déterminer sa position. Il s'attendait à voir surgir d'un instant à l'autre entre les collines des colonnes de chars, des

camions militaires. Il maîtrisa son tremble-
ment, passa la langue sur ses lèvres sèches.

Le vrombissement s'accentua encore, venant
de l'est. Éric cliqua sur les troupes massées à
l'ouest du village, leur désigna les deux entrées
possibles des troupes ennemies. Ses unités se
mirent en branle, trop lentement à son goût,
gênées dans leur déplacement par les civils
déambulant sur la place centrale du village.

J'aurais dû les fourrer dans l'église, ceux-là,
songea-t-il. *Ils ne servent à rien, et maintenant je
les ai dans les pattes.* Ses renforts arrivaient enfin
aux sorties est du village, quand la première
vague de bombardiers apparut sur la ligne de
crête, juste au-delà des montagnes.

– Elena ! Elena ! Ton papa au téléphone !

La voix mélodieuse de sa tante glaça Elena.
Recroquevillée sur son lit, entourée de magazines de mode qu'elle feuilletait depuis une
heure sans les voir, elle se figea, silencieuse,
immobile, absente.

Un pas montait l'escalier. Elle attendit,

condamnée d'avance, que sa tante apparaisse dans l'encadrement de la porte:

— Ma chérie, dit tante Marianne, tu ne m'entends pas? C'est ton papa au téléphone!

Elena prit le récepteur portable qu'on lui tendait, le regarda comme elle aurait regardé un insecte, puis, avec répugnance, le porta à son oreille:

— Allô, ma chérie, comment vas-tu?

Le son familier de sa langue maternelle ne l'apaisa pas.

Malgré la distance, malgré le grésillement du portable, la voix de son père était là, toute proche, vibrante de chaleur et d'émotion. Elle aurait voulu hurler, se força à répondre, d'une voix monocorde:

— Je vais bien. Merci.

— Je t'entends mal, ma chérie. Parle plus fort. Comment vont tes études?

— Mes études vont bien.

Il y eut un silence étonné à l'autre bout, puis la voix de son père, pleine de sollicitude:

— Qu'est-ce qui ne va pas, mon bébé?

— Tout va très bien.

Son père eut un rire amer :

— Ma *dragiza*, tu sais que tu ne peux rien me cacher. Qu'est-ce qui ne va pas ?

— Rien. Je dois avoir pris froid. Je suis rentrée... du lycée sous la pluie.

— Fais bien attention à toi, ma chérie. Demande à ta tante d'appeler le médecin si tu ne te sens pas bien...

— Ça va aller. C'est une fatigue passagère, c'est tout. Et toi, comment vas-tu ? ajouta-t-elle pour éviter de répondre à de nouvelles questions.

— Ça va, *dragiza*, ça va. Les affaires sont un peu difficiles, mais rien de dramatique.

— Comment s'est déroulée ta partie de chasse ?

— Ma partie de chasse ?...

— Oui, tu m'as bien dit que tu partais chasser dans les montagnes avec Zeljko et Mihaïl ce week-end...

— Je ne m'en souviens pas... Enfin, je veux dire, je ne me souviens pas de t'en avoir parlé… Mais enfin oui… nous sommes allés chasser… dans les montagnes…

— Comment était le gibier?

C'était la première fois qu'elle s'intéressait aux parties de chasse de son père, qu'elle s'était toujours plu à brocarder sur ce sujet. Il semblait affreusement mal à l'aise, bredouilla:

— Tu sais, à cette période de l'année, ce n'est jamais très fameux…

— Oui, j'imagine qu'il ne reste plus grand-chose à chasser. Il faudra songer à leur laisser le temps de se reproduire…

— Qu'est-ce que tu dis? Je t'entends très mal…

— Rien. Ce n'est pas grave. Tu donneras mon bonjour à Mihaïl.

— Je n'y manquerai pas. Et toi, salue ton oncle de ma part. Dès que ces histoires politiques idiotes seront terminées, je viendrai vous rendre visite.

— Formidable. Le gibier va être soulagé.

— Pardon?

Elle ne répondit pas.

— Allô? Allô… Elena? Allô?

D'une main tremblante, elle posa le combiné sur la table de nuit, coupant la communication.

Le fracas des bombes s'était tu. Éric titubait dans les ruelles dévastées, se tordant les chevilles sur les gravats, les poutrelles calcinées et fumantes. Autour de lui, la ville était silencieuse. De loin en loin, on entendait l'effondrement d'un mur, d'un toit. Une brique se descellait, suivie d'une autre, puis d'une autre, dans un éboulement mélodieux. Ici et là, des nuages de poussière s'élevaient dans le ciel, masquant la lumière de cette fin d'après-midi printanière. Il avait perdu tout repère, se dirigeait au hasard vers ce qu'il pensait être la place centrale du village, guidé par un crépitement sporadique. Il crut d'abord que des hommes tiraient vers le ciel, dans le vain espoir d'abattre un avion de la chasse ennemie. Puis une déflagration sourde souffla l'air de ses poumons, l'envoya rouler à terre où il s'écorcha profondément les coudes. Le crépitement s'amplifiait. Il se releva, vit un mur de flammes sauter d'une maison à l'autre dans la ruelle à quelques dizaines de mètres devant lui. Il se retourna, urinant de terreur, et se mit à courir en sens inverse, tentant d'échapper au brasier.

Les Junkers passaient en rase-mottes au-dessus des champs, fauchant de leurs mitrailleuses les derniers survivants terrés dans les maïs. L'écran de fin de niveau apparut, oblitérant la vision du village dévasté. Andreas se redressa sur son siège, décrispant ses muscles endoloris.

MISSION NUMÉRO 4:

LÉGION CONDOR, avril 1937:

Temps de réalisation de la mission: 26 minutes 43 secondes.

Résultats de la mission: Objectif détruit à 86%.

Pertes humaines: 0.

Pertes matérielles: 0.

Pertes infligées à l'ennemi : 1007 morts, 1518 blessés.

Assaut sur Guernica : Réussite critique.

Andreas pianota sur le clavier. Son insigne, un condor enserrant dans ses griffes une croix gammée, apparut à l'écran, se superposa au tableau de décompte de la campagne, dont les chiffres s'affichaient peu à peu comme sur le cadran d'un flipper.

Fragmeister, nom de code Condor : 0.032.530 points.

Boisdeffre, nom de code ....? : 0.001.993 points.

— Enfoncés, mes agneaux. Je vous ai enfoncés à mort !

Il tapa ses doigts sur le rebord du clavier, se leva pour effectuer une courte célébration de sa victoire. Ses yeux ne quittaient pas l'écran, fascinés par la promesse que recélaient les chiffres du tableau de campagne. 0.032.530 points ! Il avait battu son adversaire à plate couture. Mais surtout, il imaginait l'ampleur des conquêtes qui l'attendaient encore, l'étendue des dégâts qu'il pourrait encore causer. Il calcula mentalement, prenant soin de ne pas oublier de chiffre. Des dizaines de milliers. Des centaines de milliers. Des millions... Il pouvait arriver à causer des millions de morts, s'il le voulait. Il avait hâte de continuer la partie. Il se rassit, tenta d'entrer en contact avec Éric. De l'autre côté de l'écran, personne ne lui répondit.

Éric avait passé la nuit à geindre, à se retourner dans son lit. Vers trois heures du matin, inquiet, Gilles s'était levé dans le noir, avait posé la main sur le front de son frère. Éric était brûlant.

Il était rentré tard, la veille au soir, vers vingt et une heures, avait répondu aux questions de sa mère et de son frère par des bribes de phrases plus ou moins cohérentes, prétendant avoir escorté un de ses camarades à l'hôpital, puis avoir été surpris par un orage. Ses vêtements étaient effectivement trempés, et

lorsque, assis sur le rebord de son lit, il les avait
ôtés, Gilles avait pu voir sur les coudes et les
avant-bras de son frère des blessures encore
sanguinolentes.

— Tu t'es battu? avait-il demandé.

Éric avait inspecté ses membres fixement,
comme surpris, puis avait répondu, d'une voix
tremblante :

— Non. J'ai glissé dans la ruelle. Je me suis
écorché en tombant.

Il s'était couché immédiatement, et Gilles
avait hésité à le questionner plus avant. L'air
hagard de son frère, la vacuité de ses réponses
avaient éveillé son attention. Il avait attendu
qu'Éric soit endormi pour inspecter ses vêtements, fouiller les poches de son blouson, de
son pantalon, à la recherche d'un éventuel
indice. Il ne trouva rien, pas un paquet de
cigarettes suspect, pas l'ombre d'une trace de
drogue. Pourtant Gilles croyait reconnaître
dans la lenteur de son frère, dans son regard
absent, les symptômes d'une intoxication. Il
s'était résolu à aborder le problème de front

le lendemain, mais avait été rassuré pendant la nuit en constatant qu'Éric avait une forte fièvre. Il s'était recouché après avoir avalé un tranquillisant, avait sombré dans un sommeil lourd, sans rêves. Depuis deux mois maintenant, Gilles s'assommait de somnifères pour chasser les rêves, ou leur souvenir. Pour éviter de se retrouver pour la énième fois sur la colline au nord de Lehovici, au moment où le bruit des pelleteuses s'était tu, et où, munis seulement de tiges métalliques et de pelles, lui et ses camarades étaient descendus dans la fosse et avaient commencé à déterrer des baskets décolorées et des ossements encore drapés de bribes de vêtements. Pour ne plus jamais revivre l'instant où sa main, écartant une motte de terre, avait mis au jour une poupée Barbie mutilée, bandée de sparadrap pourri.

Le téléphone les réveilla vers neuf heures. Gilles prit l'écouteur, répondit. Du fond du couloir, il entendait le bruit du téléviseur.

Maman était levée. Enfin, c'était une façon de parler.

— Salut, c'est Andreas. Alors, ma poule, remis de tes émotions?

— C'est Gilles à l'appareil. Éric dort encore, je pense qu'il a attrapé une bonne grippe.

— Ah c'est nul… Et toi, comment vas-tu?

— Bien, je te remercie. J'allais justement me lever.

Andreas ne sembla pas remarquer la pointe d'ironie dans la voix de Gilles, embraya aussitôt:

— Éric m'a dit que tu étais rentré. C'est super!

— C'est juste une permission. Je dois repartir ce soir.

— Ah dommage, mec! J'aurais voulu que tu me racontes…

— Que je te raconte quoi?

— Je ne sais pas. Tout, quoi… C'était comment?

Gilles resta interloqué, partagé entre l'envie de raccrocher et la honte. Andreas ne lui était pas particulièrement sympathique, mais il aurait voulu pouvoir lui répondre.

— Je ne peux pas t'expliquer ça en deux mots, au téléphone...

— Je sais bien, mec, mais tu peux me dire au moins... C'était violent? Tu as eu peur?

— J'ai eu peur, oui, parfois. Je me suis beaucoup ennuyé, et j'ai eu peur.

— Tu as tiré sur quelqu'un?

— Non.

— En six mois, tu n'as tiré sur personne! Wow, le planqué! Et tu as vu des morts?

— J'ai vu des morts, oui – la voix de Gilles était neutre. Il s'entendait répondre comme s'il s'était agi de quelqu'un d'autre – J'en ai même ramassé.

Andreas ne répondit pas. Gilles jeta un œil sur son frère. Éric, réveillé, les cheveux en sueur plaqués sur le front, l'écoutait attentivement.

— D'autres questions? demanda Gilles.

— Non, non. Est-ce que je pourrais parler à Éric?

– Je te le passe.

Éric prit le combiné, toussa. Gilles se retourna, commença à défaire les draps de son lit de camp tout en tendant l'oreille.

– Oui…. Non… Non, certainement pas… Non, ça c'est ton problème… Thierry te demande d'arrêter, il dit que c'est dangereux, ça m'étonnerait qu'il recommence avec toi… C'est ton problème… Non, je t'ai dit non, il n'est pas question que je recommence… je n'y touche plus, et je te conseille de suivre l'exemple… Non, Andreas, il n'y a que toi que ça fasse marrer… Ben tu le feras tout seul… C'est pas marrant tout seul? C'est pas marrant tout seul! Mais espèce d'enfoiré, tu crois que j'ai trouvé ça marrant hier soir? Tu crois que c'était marrant pour les gens qui étaient autour de moi?

Le rire d'Andreas, un rire nerveux, résonna dans l'écouteur.

– Tu es dingue, continua Éric d'une voix forte. Tu es complètement dingue. Il faut être un vrai malade pour trouver ça drôle… – il y eut ensuite un long silence, pendant lequel

Andreas essaya sans doute de se justifier, puis —
Non... ça ne marchera pas, ton chantage... Je
ne veux pas le savoir. Je ne veux pas...

La voix d'Éric faiblit, hésita.

– Ne fais pas ça!

Gilles se retourna trop vite, décontenancé
par le hurlement de son frère. Éric était dressé
sur son lit, livide. L'espace d'un instant, en
périphérie de sa vision, Gilles crut apercevoir
sur l'écran de l'ordinateur une explosion de
flammes. Il cligna des yeux. L'écran était noir.
Éric reposa le combiné, passa une main dans
ses cheveux.

– Éric, je crois qu'il faut qu'on se parle...
commença Gilles.

Il était persuadé qu'il s'agissait d'une histoire de drogue, dans laquelle Andreas avait
entraîné Thierry et Éric. Il s'attendait à tout,
sauf à la question que posa son frère:

– C'est quoi, Guernica?

– Mon général... l'aumônier vous fait
dire qu'ils sont prêts.

Thierry ouvrit les yeux, s'efforça de garder son calme. Autour de lui, les médecins s'affairaient. Il entendait le couinement des roulettes de son brancard, qu'on poussait à l'écart. Des mains solides l'avaient saisi, venaient de le déposer sur la table du scanner. Au-dessus de lui, le flacon de la perfusion se balançait, renvoyant la lumière d'un grand Scialytique au plafond.

— Mon général…

La voix se faisait plus insistante, couvrait le brouhaha rassurant du service de radiologie. Il entendit encore le rire bref d'une infirmière, eut le temps de penser: *La perfusion… ils ont dû m'injecter un tranquillisant pour le scanner… Il ne faut pas que je m'endorme…* puis une main se posa sur son épaule, et le ramena au présent. Marigny recula de quelques pas pour lui permettre de se relever du canapé où il s'était assoupi un moment, fit signe à son ordonnance d'apporter sa cape, ses gants.

Thierry hésita, saisit les vêtements qu'on lui tendait. Il savait d'avance tout ce qui allait se passer. Il avait vécu cette scène à deux reprises déjà. La première fois, assis devant son ordinateur, seul. La seconde, en pleine salle de classe, tandis que le professeur de mathématiques distribuait l'énoncé du contrôle.

À chaque fois, il avait tenté de résister. En vain.

Il se laissa guider, sans un mot, sur le palier de l'auberge, puis au rez-de-chaussée. Le propriétaire ôta sa casquette en le voyant passer, le salua. Ils débouchèrent dans la cour intérieure, où les attendait une De Dion Bouton rutilante. Thierry s'assit à l'arrière, coupa court aux tirades de son aide de camp d'un geste las. La voiture se mit en route, suivie d'une camionnette d'escorte. Ils traversèrent des champs de bataille dévastés, où, seuls ici ou là émergeaient encore dans l'océan de boue figée quelques troncs d'arbres déchiquetés. *Ne rien faire...* songea Thierry. *Ce n'est qu'un rêve, ou plutôt un cauchemar. Et la seule façon de m'en débarrasser est probablement d'en atteindre la fin.*

La voiture s'arrêta, comme les deux fois précédentes, au quartier général de campagne, un fortin protégé des lignes ennemies par une colline de terre haute d'une demi-douzaine de mètres, pour laquelle, si la mémoire de Thierry était bonne, 3216 hommes avaient perdu la vie au cours de ces derniers mois. Il avait alors considéré que l'enjeu en valait la chandelle. Il n'en était plus convaincu.

On le guida entre des rangées d'officiers, il serra des mains, salua le nouveau commandant des troupes, le général deux étoiles Philippe Pétain. Ils échangèrent quelques mots, avancèrent côte à côte vers le terrain d'exécution. Thierry gardait les yeux fixés au sol. Il ne pouvait sans trembler affronter le regard des hommes qui maintenant les cernaient de toutes parts. Rangée après rangée, des centaines, des milliers de soldats étaient regroupés au garde-à-vous dans la boue, et lorsqu'il les avait aperçus la première fois, il avait été pris de vertige. Ils étaient si nombreux que dans la distance, ils ne semblaient plus être des individus mais une masse informe, une gigantesque vague grise, immobile, qui d'un moment à l'autre aurait pu se briser et venir s'abattre sur eux. *On leur a laissé leurs armes, bien entendu*, songea Thierry. *Le respect de l'autorité doit suffire à les faire taire, les contraindre à plier l'échine. Mais ils sont si nombreux, et nous ne sommes qu'une poignée. Il suffirait qu'un seul d'entre eux se rebiffe, saisisse son arme...* Il releva la tête, se força à les observer. Sous l'impassibilité apparente de leur regard se lisaient une foule de sentiments contradictoires. On le lui avait bien expliqué en haut lieu, à Paris, avant son départ pour le front. Les troupes étaient à bout, devaient se sentir soutenues, reprises en main. Le général Nivelle avait enregistré trop d'échecs pour rester en place plus longtemps. Pétain, écarté l'an dernier, avait gardé parmi les hommes une image de chef, de père sévère mais juste. Il fallait, pour rétablir son autorité, que Boisdeffre, qui représentait pour le gros des troupes le haut commandement, le gouvernement, l'État français dans toute sa splendeur, soit présent pendant cette cérémonie d'expiation. Que sa présence renforce chez les soldats l'idée de la faute, leur évite toute remise en cause ultérieure de ce qui allait se passer dans les prochaines minutes. Ils avaient failli, collectivement, sur toute cette ligne de front autour de Laon. Avaient déposé leurs fusils pour fraterniser avec l'ennemi. Avaient, selon les termes du rapport que Thierry lui-même avait contresigné, « refusé d'obéir aux ordres ». Il avait fallu faire venir de nouvelles troupes de l'arrière, incarcérer les mutins les plus obstinés, pour permettre aux combats de reprendre. Mais ils étaient trop nombreux, la faute collective était trop grande, pour qu'on pût imaginer les fusiller tous. Aussi avait-il été décidé, en guise de punition, que seraient tirés au sort parmi les mutins ceux qui seraient fusillés pour l'exemple. Et que leurs frères d'armes eux-mêmes seraient chargés de cette besogne.

Enfin, ils arrivèrent en vue du peloton d'exécution. Le soleil était levé depuis moins d'une heure, et l'air était encore chargé des humeurs de la nuit. Thierry frissonna. Suivi du général Pétain, il vint se placer légèrement en retrait du peloton. Marigny, nerveux, sortit de sa poche-gousset un étui à cigarettes, avança lentement d'un condamné à l'autre. Le silence était total. Au loin, porté par le vent, on entendait par moments l'éclair sourd d'un aboiement. *Il reste encore un animal vivant dans cet enfer*, songea Thierry. Il leva les yeux, inspecta le ciel. *Pas un oiseau. Pas un merle, pas une mésange, même pas un corbeau.*

— Les voies de l'Éternel... murmura une voix à son côté.

Le général Boisdeffre se retourna, surpris. L'aumônier lui adressa un sourire plein de sagesse et de compassion.

— Les voies de l'Éternel sont impénétrables...

L'incompréhension de Thierry devait être manifeste, car l'aumônier enchaîna, comme gêné de devoir s'expliquer:

— C'est une épreuve, bien entendu. Une terrible épreuve, pour eux comme pour nous.

Et pour Lui aussi. Mais c'est le prix à payer pour nos fautes passées.

L'espace d'un instant, Thierry fut saisi par le doute. Se pouvait-il qu'il s'agisse d'un message à son intention? Essayait-on de lui dire que la scène qui allait se dérouler représentait le châtiment de ces heures passées à envoyer à la boucherie des milliers d'hommes pour satisfaire son goût de la stratégie militaire?

– Que... que voulez-vous dire?

– Ces hommes ont failli, mon général. Individuellement, et collectivement. En refusant d'obéir aux ordres, ils ont mis en péril non seulement leur division, leur corps d'armée, mais aussi la Nation tout entière. Seul un juste châtiment pourra expier leur péché.

Une colère froide, inhumaine, enfla dans la poitrine de Thierry.

– Soyez gentil... s'entendit-il dire, reculez un peu. Le vent m'apporte une odeur de merde.

Il se retourna, avança jusqu'à se placer à hauteur du peloton d'exécution. Marigny s'était écarté, son œuvre achevée. L'ultime cigarette des condamnés se consumait. L'aumônier jeta un regard troublé vers le général Boisdeffre, vint administrer les derniers sacrements à chacun des condamnés.

L'envie de fuir saisit Thierry, comme les deux premières fois. Sa main gauche reposait sur le pommeau de son sabre. Dans quelques secondes maintenant il retirerait celui-ci de son fourreau, le pointerait vers le ciel. *Tout plutôt que ça*, songea-t-il. Il ferma les yeux, se concentra. *C'est une épreuve, bien entendu. Une terrible épreuve, pour eux comme pour nous...* La voix de l'aumônier résonnait encore à ses oreilles. Il fit le vide en lui-même, se força, comme dans un rêve, à quitter cette enveloppe matérielle... Il ouvrit les yeux, et découvrit tout autour de sa tête le carcan métallique du scanner.

— Ne bougez pas, jeune homme, s'il vous plaît. C'est presque fini.

Il voulut parler, mais sa bouche était pâteuse. Il leva un bras pour se dégager, ressentit au pli du coude la morsure vive de la perfusion.

– Il s'agite. Accélère un peu le Valium.

Des pas s'approchèrent. Il entendit une voix de femme murmurer quelques paroles rassurantes. *Je ne vais pas bouger*, songea-t-il. *Pas besoin d'anesthésie, je ne vais pas...*

Le sommeil le happa à nouveau, un sommeil lourd. Il voulut se débattre, mais ses mains étaient entravées derrière son dos. Il tenta d'ouvrir les yeux. Un bandeau de tissu bloquait sa vision. En baissant les yeux, il pouvait juste apercevoir, dans un triangle lumineux, la terre argileuse au pied du poteau, et ses bottes boueuses auxquelles, la veille au soir, on avait retiré les lacets pour éviter qu'il ne se pende dans sa cellule. Son cœur s'emballa dans sa poitrine. Dans le silence, un homme à sa droite éclata en sanglots. Puis un autre hurla des imprécations, invectivant ses camarades.

Thierry entendit le claquement métallique des fusils qu'on armait.

Il se redressa, tourna la tête vers la droite, vers l'endroit où devaient se tenir les deux généraux et l'aumônier, et cracha de toutes ses forces dans leur direction.

— Je n'y arriverai jamais, gémit Éric. C'est un bouquin énorme!

— C'est le meilleur ouvrage existant sur la guerre d'Espagne, renchérit le libraire.

Gilles sourit, haussa les épaules:

— Tu vois, tu n'as pas le choix...

Il saisit le livre, le retourna pour en voir le prix:

— 149 francs. Je te l'offre.

— Je vous laisse passer à la caisse, dit le libraire en se penchant sur un carton plein de nouveautés. Bonne journée.

Ils firent quelques pas entre les étals, et Éric s'accrocha à la manche de son frère pour lui murmurer:

— T'es dingue! 149 balles pour un bouquin que je ne lirai même pas!

— On verra bien, répondit Gilles, fataliste. Disons que c'est un pari sur l'avenir.

— Ça ne t'a pas arrangé, ton séjour en

Bosnie. Je ne comprends toujours pas ce que tu cherches…

Gilles paya, laissa son frère se saisir du paquet. Ils sortirent dans la rue.

— Tu m'accompagnes? Je dois être rentré pour quatorze heures.

— Si tu veux. Mais je t'assure que je ne le lirai pas, ton bouquin. Tout ce que je voulais, c'est que tu m'expliques ce qui s'était passé à Guernica.

— Qu'est-ce que tu veux savoir, au juste? Pourquoi est-ce que soudain ça t'intéresse tant?

Éric haussa les épaules:

— Comme ça, quoi… Disons que j'en ai entendu parler à la télé…

— Je ne sais pas par où commencer. Je ne peux pas te faire un cours là-dessus en accéléré. Guernica était une bourgade comme les autres, jusqu'en avril 1937, quand l'aviation allemande l'a réduite en cendres. Ça a été un tel massacre que le nom de Guernica est resté lié dans la mémoire des hommes à tout ce qu'il y a d'horrible dans la guerre. D'autant que la même année, Picasso a peint *Guernica*, qui est sans doute à juste titre son tableau le plus célèbre.

Éric sortit le livre de son paquet, en inspecta la couverture. La reproduction de l'œuvre de Picasso décorait la jaquette. Il discerna dans le magma de traits vifs une femme difforme, les bras levés vers le ciel... la gueule épouvantée d'un cheval, bavante d'écume... *Ça ne ressemblait pas du tout à ça*, songea-t-il.

– Qu'est-ce que les Allemands foutaient en Espagne en 1937? Je croyais que la Seconde Guerre mondiale avait débuté en 1939...

– Ils répétaient en vue de leur grand-œuvre. Ils testaient leur matériel et la passivité des autres nations européennes.

– Mais pourquoi en Espagne?

– Parce que le pays était en pleine guerre civile, entre républicains et franquistes, et que le général Franco avait demandé à Hitler une aide matérielle, dont cette fameuse légion Condor, qui a bombardé Guernica.

— Condor?

Gilles prit le livre des mains de son frère, chercha la liste des illustrations tout en continuant sa marche. Il tendit le livre à Éric. L'insigne de la légion Condor s'étalait sur un drapeau : au centre d'une croix de fer, un condor aux ailes déployées tenait dans ses serres une croix gammée.

Il y eut un long moment de silence, que Gilles rompit enfin :

— Ça ne va pas ?

Éric leva les yeux de la page. Son regard était vague. Il ne répondit pas.

— Tu as déjà vu cet insigne quelque part, n'est-ce pas ? demanda Gilles.

Éric fit signe que oui.

— Mais où ça ?

Sur l'écran d'un ordinateur, songea Éric. *Sur le fuselage d'un avion de chasse...*

— Sur le blouson d'un copain, il y a une semaine...

Une semaine... Éric réalisa soudain qu'il s'était écoulé moins d'une semaine depuis qu'ils avaient pénétré ensemble dans la boutique de jeux, et qu'en une semaine, tous ses repères avaient été bousculés. Il fallait absolument revenir en arrière, avant cette histoire, quand tout était encore simple, dénué de danger et d'implications souterraines. *Comment ce vieillard avait-il su… Pourquoi leur avait-il donné le jeu… Pour les corrompre ? Pour les tester ? Dans quel but ?…* Toutes ces questions se bousculaient dans sa tête, et à sa grande terreur, il comprit que le seul moyen d'en obtenir réponse, au point où il en était, serait peut-être de continuer le jeu.

— Sur le blouson de qui ? répéta Gilles.

— Sur le blouson d'Andreas.

Le visage de Gilles se ferma.

— Ça ne m'étonne pas, lâcha-t-il entre des dents serrées. J'aurais dû m'en douter.

— Attends, ne t'emballe pas. C'est juste une décoration, pour la frime…

À ses propres oreilles, l'excuse d'Éric parut mince, invraisemblable. Une semaine plus tôt, l'attitude du vieil homme dans la boutique l'avait abasourdi. Aujourd'hui, il n'était plus sûr de rien. Car si cet insigne était associé dans la mémoire des hommes à des massacres aussi sanglants que celui auquel il avait réchappé, pouvait-on concevoir de le porter au revers d'un blouson d'aviateur, «pour la frime»? N'y avait-il pas là, dans le fait d'arborer en toute impunité un tel symbole de mort et de destruction, quelque chose de plus sombre, de plus lâche aussi?

— Ce n'est pas «juste une décoration», reprit Gilles d'une voix ferme, comme en écho aux pensées qui se bousculaient dans la tête de son frère. C'est un insigne nazi, et même si Andreas n'en connaît pas parfaitement la signification historique, crois-moi, il est certainement conscient de ce que cette décoration peut signifier, pour ceux de son bord comme pour leurs victimes...

— Il dit que c'est juste une collection, comme ma collection de pogs, ou ta collection de pin's il y a trois ans.

— Ma collection de pin's... J'avais oublié

ça, tiens... Mais ça n'a rien à voir. Ce sont des phénomènes de mode, des babioles qui coûtent trop cher, dont on ne peut se passer pendant quelques semaines puis qu'on oublie. Non, Andreas sait très bien ce qu'il fait, d'autant que ce genre de saloperies ne se trouve pas partout.

— Je ne te suis pas, coupa Éric, et il ne savait pas pourquoi il contredisait ainsi son frère systématiquement.

Chaque remarque de Gilles lui semblait juste, trouvait en lui un écho de véracité, mais rendait le parcours actuel d'Andreas plus inquiétant encore. Éric aurait voulu se convaincre, envers et contre toute indication du contraire, que son ami était seulement affublé d'un sens de l'humour et de la provocation hors du commun.

— Je ne te suis pas. Andreas a le droit d'aimer les uniformes, de fantasmer sur l'armée. Toi-même...

— Arrête tout de suite, le prévint Gilles. Tu vas dire une énorme connerie... Je ne suis pas parti en Bosnie parce que j'aimais l'armée, ou parce que j'étais raide d'excitation à l'idée de patauger en treillis dans la boue. Ni parce que je rêvais de porter à bout de bras un fusil-mitrailleur. Je suis parti parce que je ne savais pas comment me faire réformer, et qu'au moins là-bas j'imaginais... je dis bien j'imaginais... pouvoir être utile à quelque chose ou à quelqu'un. Ce que recherche ton copain Andreas, c'est ce que possédaient les gens en face de nous, de l'autre côté du pont. Le pouvoir démentiel que procure une arme à un pauvre type sans idées, sans courage, sans rien d'autre que sa haine de lui-même et des autres. Andreas te sortira des milliers de discours sur la noblesse militaire, sur la grandeur de servir le drapeau, un tas de conneries auxquelles il ne connaît rien mais que sa famille lui a inculquées depuis tout petit pour masquer par des mots l'essentiel. L'envie de détruire, l'envie d'écraser, l'envie de tuer. Pendant la guerre d'Espagne, du côté fasciste, ils avaient inventé un cri de ralliement qui

résume tout ça parfaitement: *¡Viva la muerte!*
Vive la mort! À bas les intellectuels, à bas la
pensée, vive le néant... C'est ça que recher-
chent Andreas et tous les abrutis qui, comme
lui, se déguisent en morts-vivants des guerres
passées, dans l'attente de prochains char-
niers...

– Pourquoi dis-tu que sa famille lui a
inculqué ça...

– Tu devrais lire les journaux, de temps en
temps, mon pauvre Éric. Le père d'Andreas
est une ordure bien grasse, bien huileuse...

– M. Salaun? Mais il est à la mairie, et il
était candidat à je ne sais plus quoi...

– Aux législatives, il y a quelques années. Et
aux prochaines, je ne m'inquiète pas, il sera
toujours là. Son costume sera un peu plus serré,
ses cheveux un peu plus gramouillés, mais il
sera toujours là. Et un jour, si tout le monde
s'endort sur sa console vidéo, il la gagnera, son
élection. «Pour que le mal triomphe, il suffit
que les hommes de bien ne fassent rien...»

– C'est pas toi qui as inventé ça?

— Non, ce n'est pas moi. Qu'importe. Ça dit bien ce que ça veut dire. Tiens, je suis arrivé.

Éric fronça les sourcils, inspecta les alentours. La caserne était à la sortie de la ville, à trois kilomètres encore.

— On ne se reverra peut-être pas avant un moment, dit Gilles. Je ne sais pas si je pourrai négocier une nouvelle permission avant longtemps.

— Mais où vas-tu, là? Ce n'est pas ici…

— Je vais là, dit Gilles en tendant le bras vers un grand bâtiment en brique rose, séparé de la rue par une haute grille et un grand parc ombragé.

— Là? Mais c'est chez les…

— Chez les dingues… ne te gêne pas! Chez les frappés… Chez les fêlés de la cafetière… Chez les demeurés congelés…

— Arrête! cria Éric.

La peur et l'incompréhension le glaçaient. Gilles cessa de le narguer, reprit sur un ton plus calme:

— C'est l'hôpital psychiatrique départemental, et l'armée y envoie ceux de ses appelés qui ont subi des traumatismes psychiques, afin d'aiguiser encore les connaissances médicales sur le syndrome de stress.

— Mais... quand est-ce que tu vas sortir?

— Je ne sais pas... quand je serai convaincu que c'est mieux à l'extérieur. Ça peut durer...

Gilles serra son frère dans ses bras, une embrassade brève, féroce, puis le relâcha:

— Allez, ne t'inquiète pas pour moi. Occupe-toi plutôt de ta guerre d'Espagne. Et viens me voir si tu as des questions à me poser...

— Tu as le droit à des visites?

— Évidemment. On n'est pas au Moyen Âge, ici. C'est un hôpital public.

Gilles recula, tourna les talons et pénétra dans l'enceinte. Encore sous le choc, Éric le vit se hâter dans l'allée centrale, évitant ici ou là un fauteuil roulant ou un malade en robe de chambre, occupé à soliloquer avec un parterre de fleurs. Avant de disparaître sous une arche de pierre, Gilles se retourna une dernière fois, leva le bras en direction du ciel, poing fermé.

Éric hésita, leva le bras pour un salut banal, puis imita son frère.

— *¡No pasarán!* hurla Gilles.

Longtemps après qu'il eut disparu, son rire résonna encore sous la voûte.

— Tiens, voilà le camarade général! Il ne manquait plus que toi pour que la touchante réunion familiale soit au grand complet...

Andreas avait parlé sans se lever du fauteuil de skaï brun dans lequel il était affalé, ses Doc Martens boueuses posées sur le couvre-lit de Thierry. Éric referma la porte de la chambre d'hôpital. Thierry, debout auprès du lit, rangeait sans hâte ses quelques affaires de toilette dans un sac de sport. Lorsqu'il vit Éric, un large sourire illumina son visage.

Surpris et embarrassé par la présence narquoise d'Andreas, Éric ne s'y arrêta pas. Pourtant le sourire de Thierry avait quelque chose d'étrange, d'inhabituel. C'était toujours le même visage, un peu trop blanc, un peu trop inexpressif, c'étaient toujours les mêmes lunettes en cul-de-bouteille, qui donnaient à son ami l'air vaguement hébété. Et pourtant le sourire de Thierry avait changé, s'était affermi. Il semblait s'être transformé, au cours des deux jours de son hospitalisation, en quelqu'un d'autre, peut-être tout simplement un Thierry plus mûr, moins timoré. Sans avoir pleinement conscience de tout cela, Éric se sentit désarçonné, comme si brusquement la secrète hiérarchie de leur trio avait été modifiée, et qu'il se fût du jour au lendemain retrouvé dans le rôle du souffre-douleur.

— Alors, tu t'es remis de la pâtée que je t'ai flanquée? Oh putain, t'aurais vu ça, mon rat, la raclée magistrale que je lui ai mise, au coco de mes deux! La mère de toutes les branlées! Plus un bâtiment intact, plus un camion, plus une route! Je l'ai pul-vé-ri-sé…

— Nous n'avions aucune arme de défense anti-aérienne! Tu ne m'as même pas prévenu qu'il s'agissait d'autre chose que d'une attaque terrestre… Comment voulais-tu que j'aie la moindre chance dans ces conditions? Ce n'est pas un jeu, c'est une boucherie!

— Mais il va chialer, le garçon! Il est si sensible!

— Et tu n'avais pas besoin d'utiliser des bombes incendiaires, par-dessus le marché. Nous étions totalement incapables de riposter.

— Ah! les bombes incendiaires! J'adore le bruit que fait la soute des bombardiers en s'ouvrant, cette espèce de glissement hydraulique… Whooosssshh… Et le grondement quand elles touchent au but! C'est un peu comme dans la pub: la première vague de chasseurs Junkers 52 passe, et la deuxième vague de bombardiers Heinkel 111 grille le bolcho avant qu'il ne repousse!

— Je suis heureux que tu y aies trouvé du plaisir. Surtout ne te gêne pas pour continuer sans moi. Mais tu ferais bien de te demander si tu ne vas pas un peu trop loin, et où tu vas t'arrêter. Quand le massacre aérien aura perdu l'éclat de la nouveauté, il te faudra quoi? La torture, le viol?

— Arrête, murmura Andreas, tu m'excites à mort...

— En tout cas, pour moi, c'est terminé. Et toi, Thierry?

— Même chose. Nous sommes allés trop loin.

Andreas soupira, força un sourire:

— Attendez, les mecs, je ne vous comprends pas. Vous êtes mauvais joueurs à ce point?

— Ce n'est pas un jeu pour moi, dit Thierry. Plus maintenant.

Quelque chose dans sa voix évoquait la souffrance, et une force nouvelle. Éric renchérit, soulagé:

— Ce n'est pas un jeu pour moi non plus. Et si tu étais honnête avec nous deux minutes, tu reconnaîtrais que ce n'est plus un jeu pour toi depuis longtemps.

— Qu'est-ce que tu chantes, sous-race?

— L'insigne, dans la boutique du vieux, à Londres...

– Quoi, l'insigne?

– C'est celui de la légion Condor. C'est un insigne nazi.

– Et alors, connard, tout ça, c'est historique. C'est un collector, tu comprends ça? Je connais des mecs qui tueraient pour l'avoir...

– Eh bien, je ne t'envie pas tes fréquentations... En tout cas, à partir d'aujourd'hui, tu joueras au SS tout seul.

– Ne me mets pas en colère, connard. Ça me fend la gueule de te l'avouer, mais j'adore jouer avec toi... J'adore voir courir toutes ces petites soviets au milieu des flammes. D'abord leurs cheveux s'embrasent, puis leurs sous-tifs...

– Touche-toi, cracha Éric.

– Ne me mets pas en colère, siffla Andreas. Imagine ce qui pourrait arriver si tu mets le Fragmeister en colère. Si tu lui ôtes son jouet tout neuf... Imagine que je décide de voir comment ça fait... pour de la vraie... Imagine que je décide de voir à quoi ressemblerait ta princesse bosniouk avec un kilo de chlorate de soude enflammé dans son mignon petit cartable Prisunic. Quel goût ça peut avoir, une petite musulmane grillée au désherbant... Va savoir... Peut-être bien un goût de saucisse, même si elle ne mange pas de porc...

Andreas couina quand le poing d'Éric effaça son sourire. Il leva les bras pour protéger son visage, rejeta son adversaire. Thierry s'interposa :

— Ça suffit, vous êtes dingues.

— C'est entre lui et moi, Jeanne d'Arc. Range tes fesses...

Thierry fit non de la tête. La porte de la chambre s'ouvrit, laissant passer Mme Boisdeffre.

— Ça y est, mon chéri. Tes papiers de sortie sont prêts... Oh, vous êtes là tous les deux ? C'est gentil d'être venus rendre visite à Thierry, mais il ne faut pas trop le fatiguer.

— Maman, je t'en prie...

— Je sais, je sais. Tu n'es pas un bébé. Mais tu nous as fait une de ces peurs, tu sais...

— Excusez-moi, il faut que j'y aille, marmonna Andreas en se frayant un chemin jusqu'à la porte. Mais ce n'est pas grave, on se reverra bientôt, je vous le promets. *Auf wiedersehen!*

— En réseau? murmura Thierry. Comment veux-tu avoir joué en réseau contre lui? Nos ordinateurs ne sont pas reliés entre eux…

Éric ferma précautionneusement la porte de la chambre de son ami, les isolant de M. et Mme Boisdeffre. Pendant tout le trajet de retour, et malgré les protestations amusées de Thierry, la crainte avait surgi sur le visage de sa mère, dès qu'ils avaient abordé, à mots couverts, la dernière partie d'Andreas et d'Éric.

— Je le sais. C'est ce que je me tue à te faire comprendre depuis tout à l'heure. Nous n'avons pas joué côte à côte, ou à tour de rôle. Andreas était chez lui, j'imagine, et moi j'étais là, en train de pianoter sur le clavier, quand il est entré en contact avec moi.

Thierry jeta un regard à l'arrière de son ordinateur, secoua la tête :

— C'est... c'est impossible, tu le sais bien.

— Ce qui t'est arrivé aussi est impossible.

— Oui, mais on pourrait l'expliquer de mille façons. Si j'en parle à un adulte, si j'en parle au docteur Munier, il dira que j'ai inventé ce printemps de 1917, que j'avais dû lire tout cela quelque part et que mon sentiment de culpabilité m'a propulsé dans une sorte de cauchemar éveillé.

— Et tu trouves que c'est une explication vraisemblable ?

— Je ne cherche pas d'explication vraisemblable. Je cherche à comprendre comment le jeu fonctionne, et où il va nous mener...

— Comment ça, où il va nous mener ? Je croyais que tu n'avais pas l'intention de recommencer...

Thierry vint s'asseoir à côté d'Éric, sortit de son sac le gros livre sur la guerre d'Espagne :

— Parce que tu crois vraiment, dit-il d'un

ton lugubre, qu'Andreas hésitera à mettre ses menaces à exécution?

Le sommeil avait fui Éric dès les petites heures de l'aube. Il s'était tourné et retourné dans son lit, avait vu défiler les minutes. N'y tenant plus, il s'était levé vers neuf heures, s'était gratifié d'une douche froide pour tenter de remettre ses idées en place. *Comment lui dire?* songea-t-il pour la énième fois. *Comment lui faire admettre qu'elle court un danger, sans passer pour un dingue?* Il finissait de se raser avec le rasoir à main de son frère quand la sonnerie de la porte d'entrée retentit. Le son du téléviseur diminua, et la voix de Maman résonna du fond du couloir:

– Ça doit être le kinésithérapeute. Fais-le entrer au salon, je ne suis pas prête!

Éric haussa les yeux au ciel, essuya sommairement les traces de mousse à raser et les minces filets de sang qui décoraient son menton puis se dirigea vers la porte d'entrée de l'appartement en finissant de reboutonner sa chemise. La veille encore, le docteur Munier avait passé un quart d'heure au chevet de Maman, profitant d'un de ses habituels appels en urgence pour lui asséner quelques vérités bien senties et lui soustraire la promesse de pratiquer une dizaine de séances de rééducation à la marche afin de regagner une certaine autonomie.

Sur le chemin de la sortie, le médecin avait passé la tête dans la chambre d'Éric, l'avait trouvé assis à sa table devant l'écran éteint, un livre posé devant lui. Munier avait soulevé la couverture, approuvé brièvement d'un signe de tête :

— *L'Espoir*, de Malraux... c'est au programme ?

— Non, non. C'est un livre de mon frère.

— Gilles ? Comment va-t-il ?

— Il... Il a eu une permission. Je l'ai raccompagné hier à la caserne.

Le docteur Munier sembla vouloir dire quelque chose, puis se ravisa :

— Tu t'intéresses aussi à la guerre d'Espagne ?

— Aussi?

— Oui, comme Gilles. Il ne t'en a pas parlé? C'est une des raisons qui l'ont poussé à se porter volontaire pour la Bosnie.

Devant l'air interloqué d'Éric, le médecin avait posé sa sacoche, s'était assis:

— Tu permets? demanda-t-il en piochant un chewing-gum sur la table. C'est étonnant qu'il ne t'en ait pas parlé. Gilles est fasciné par les Brigades internationales, il m'a emprunté plusieurs livres sur le sujet. Tu sais qu'il veut devenir prof d'histoire, comme ma femme?

— Oui. Mais je ne savais pas... enfin je n'avais pas fait le lien. D'ailleurs, je ne le vois toujours pas.

— C'est le premier livre que tu lis sur le sujet? Tu n'en connais rien d'autre?

— Guernica. Je connais Guernica.

— Oui, dit Munier en souriant. Tout le monde connaît Guernica.

Éric n'osa pas le contredire.

— Gilles pense, et il n'a sans doute pas tort, que la situation en Bosnie aujourd'hui est très proche de la situation en Espagne en 1936. Bien évidemment, ce ne sont pas les mêmes forces en présence, ni les mêmes enjeux, mais selon lui, l'attitude de nos gouvernements, l'attitude de nos sociétés aujourd'hui, est exactement la même que celle de nos grands-parents. Alors que nous avons répété, pendant une cinquantaine d'années, que si seulement nous avions su ce qui se passait, jamais Hitler n'aurait pu aller aussi loin. Aujourd'hui, tous les crimes du monde se déroulent en direct, et nous sommes toujours aussi passifs. Peut-être même encore plus, parce que côtoyer de telles saloperies jour après jour nous anesthésie. Tu sais, j'ai à peine quarante ans, mais j'ai grandi à une époque que tu ne peux pas imaginer, où il n'y avait pas encore de téléviseurs, ou presque. Une époque où la pensée avait le temps de mûrir, où on lisait plus de livres qu'aujourd'hui. Je ne connaissais pas... tout ça, dit Munier en désignant l'ordinateur. Les jeux vidéo, tous ces trucs virtuels... je n'ai rien contre, mais c'est un monde hors du monde, hors de notre réel, un monde où fuir le quotidien... Quand j'avais ton âge, j'allais entrer en fac, nous étions très politisés, très branchés sur tout ce qui se passait dans le monde. Nous avions encore l'impression qu'il nous serait possible de changer la société où nous vivions. Ton frère est un peu comme ça, même si c'est passé de mode... Tu as peut-être vu cette pub infecte, pour je ne sais quelle console vidéo... On y voit des gens de ma génération, les cheveux jusqu'aux épaules, en train de manifester et de jeter des pierres sur des CRS. Et l'accroche dit : *Il fallait bien s'occuper, avant la SEGA...*

Munier haussa les épaules :

– Excuse-moi. Je t'emmerde avec mes histoires d'ancien combattant. Et je n'ai de leçons à donner à personne. Ce n'est pas une question de génération. Ton frère en a sans doute plus fait pour vivre en accord avec ses idées que je n'en ferai jamais.

Le médecin avait fait promettre à Éric de

prendre rendez-vous pour Maman avec le kinésithérapeute le soir même, puis avait disparu.

Éric se pressa dans le couloir, ouvrit la porte. Elena se tenait sur le palier. Ils s'observèrent un moment, tandis que Maman répétait, du fond de l'appartement :

— Fais-le entrer au salon !

— Ce n'est pas le kiné... réussit enfin à articuler Éric. C'est... un ami. J'y vais ! ajouta-t-il en refermant la porte derrière lui.

— Je suis venue te parler, dit Elena, et cette évidence leur arracha un sourire de dérision.

— Je préfère qu'on marche un peu, dit Éric. C'est dégueulasse à l'intérieur, surtout ma chambre.

Elena opina, tourna les talons, suivie par Éric.

— Tu saignes, dit-elle d'une voix douce tandis qu'ils descendaient l'escalier.

— Ce n'est rien, répondit-il en fouillant dans sa poche pour s'essuyer le menton. *Je ne ressemble à rien*, songea-t-il. *J'ai l'air d'un con qui ne sait pas se servir d'un rasoir ! D'ailleurs, je suis un con qui ne sait pas se servir d'un rasoir !*

La rue était vide. Ils marchèrent sans but. Éric aurait souhaité qu'il pleuve, comme l'avant-veille, afin qu'il puisse à nouveau se blottir contre elle sous prétexte de la protéger des intempéries. Au moment où cette pensée traversa son esprit, Elena se tourna vers lui, et le sourire qu'elle lui lança le pétrifia. Il eut l'intuition qu'elle avait pénétré ses pensées, qu'elle savait exactement ce qu'il pensait.

— Tu as dû me prendre pour une folle l'autre soir… dit-elle.

Il était prêt à acquiescer à tout ce qu'elle voulait, mais il ne comprenait même pas de quoi elle parlait. Pourquoi diable avait-il toujours un temps de retard avec elle ?

— Non. Enfin, pas vraiment.

— J'ai fui sans un mot d'explication, sans même te dire au revoir. Je ne voulais pas que tu imagines que c'était de ta faute.

— Non, non… dit Éric.

Il aurait voulu trouver une repartie brillante, mais rien ne venait.

— J'ai eu… j'ai eu une expérience bizarre avec l'ordinateur de ton ami.

Un frisson parcourut l'échine d'Éric, comme dans les romans.

— Quel genre d'expérience ?

— J'ai vu quelque chose… enfin, j'ai cru voir quelque chose… Comme un film d'actualités de mon pays, mais ce n'était pas un film, c'était… différent.

— C'était violent ? demanda Éric.

— Horrible, répondit Elena. Tant que je vivrai, je ne pourrai oublier ce que j'ai vu.

Sa voix tremblait d'émotion, et Éric voulut la prendre dans ses bras. Avant même d'avoir réalisé ce qui se passait, il l'avait fait. Une multitude d'alarmes et de sonneries de secours retentirent dans sa tête. Puis les lèvres d'Elena se refermèrent sur les siennes, et il n'entendit plus rien. *Je l'ai fait*, songea-t-il. *Dieu des superbonus et de l'extra-balle, je l'ai fait !*

Il la relâcha enfin, réalisa qu'ils étaient debout, enlacés, au milieu d'une rue de sa ville qu'il avait l'impression de n'avoir jamais vue auparavant. Une vague d'émotion le submergea, puis Elena murmura :

— Tu es tellement mignon.

Le ton sur lequel elle laissa échapper ces mots crucifia Éric. Elle avait parlé sur un ton câlin, comme si elle s'adressait à un petit chat plutôt qu'à un amant magnifique. Instinctivement, il sut qu'il l'avait perdue, que son rêve venait de se briser.

Il sourit, parce qu'il était nécessaire de sourire, d'endosser le rôle de protecteur aguerri pour enlever à ce baiser toute signification. Il sut alors qu'il avait une âme, parce qu'elle hurlait en lui. Il relâcha son étreinte, reprit la marche côte à côte, se forçant à la désinvolture, tandis qu'une part de son esprit, inconsolable, tentait de comprendre comment, et à quel moment elle s'était détachée de lui.

— L'ordinateur de ton ami, reprit-elle. Il marche tout seul ?

— Pas vraiment. Il est relié en réseau avec d'autres ordinateurs. Pourquoi?

— Je ne sais pas comment cela a pu se passer, mais pendant que je regardais l'écran noir, l'ordinateur s'est allumé, et j'ai vu quelque chose que moi seule pouvais voir, comme si ça m'était destiné…

Éric eut un haut-le-cœur.

— C'est… c'est de cela que je voulais te parler. Quelqu'un a pris le contrôle de l'ordinateur de Thierry, et du mien par la même occasion. Un garçon de notre classe. Et aussi bizarre que cela paraisse, il faut que tu te méfies de lui.

— Qui est-ce?

— Andreas.

— Andreas? Mais pourquoi? Je croyais que c'était votre ami.

— Je le croyais aussi. Je me suis trompé.

— Mais qu'est-ce que j'ai à voir là-dedans? Et comment a-t-il pu m'envoyer ces images?

— C'est très compliqué. Ce n'est pas vraiment lui qui les a envoyées. Je crois que l'ordinateur nous envoie les images qui sont en nous, cachées, qu'il nous met en face de ce que nous refusons de voir.

— Mais je n'ai rien fait à Andreas. Je ne lui ai même jamais adressé la parole.

— Il n'aime pas les gens comme toi, marmonna Éric entre ses dents.

— Les gens comme moi?

— Les musulmans, dit Éric, gêné, et au moment où il lâchait le mot, il réalisa qu'il n'avait aucune idée de ce que cela signifiait.

Elena s'arrêta. Il lui fit face, s'apprêtant à essuyer sa colère. Il ne vit dans ses yeux que de l'incompréhension, puis elle éclata d'un rire amer:

— Mais je ne suis pas musulmane. Je suis serbe! Mon père est serbe…

— Je crois qu'il ne fait pas la différence. Pour lui, tu es une étrangère.

— Et pour toi?

Pour moi aussi, tu es une étrangère, parce que je t'ai aimée, sans rien comprendre de toi, songea-t-il.

— Non, je ne partage pas ses idées. Mais je ne savais pas. Je croyais… enfin, mon frère est allé en Bosnie avec l'armée… J'avais cru comprendre que c'étaient les musulmans qui étaient obligés de fuir la guerre, alors j'ai pensé…

— Parce que tu crois qu'il y a des peuples qui aiment la guerre, qui adorent s'y vautrer ? Tout le monde a envie de fuir la guerre, sauf ceux qui prennent plaisir à la faire. Et ceux-là existent dans toutes les nationalités, sous tous les drapeaux, dans toutes les familles… Mon père est comme ça. Ton frère…

— Mon frère n'a rien à voir avec ça, coupa Éric, soudain véhément. Mon frère est parti là-bas pour servir à quelque chose, pour aider les populations.

Le scepticisme d'Elena se lisait dans son regard.

— Mon frère déteste la guerre, martela Éric. Tu n'as qu'à lui parler, tu verras.

— Pour quoi faire ? dit Elena en haussant les épaules.

— Parce que toi non plus, tu n'as pas le

droit de le juger sans même l'avoir rencontré.

Elle considéra longuement une réponse, se tut finalement et acquiesça. Ils n'échangèrent plus un mot jusqu'au pied de l'immeuble de la jeune fille. Elle l'embrassa sur la joue, vivement, puis se détourna :

— Musulmane ? lança-t-elle en grimpant les marches de l'escalier, et un rire la déchira, un rire qui lui fit venir les larmes aux yeux. Il faudra que je la raconte à mon père, celle-là...

— Elle met la langue ? susurra une voix mielleuse au bout du fil.

Une peur irraisonnée envahit Éric.

— Elle t'a mis la langue ? Ma parole, t'es aphone. Elle a dû t'avaler les amygdales.

— Andreas ?

— Il parle ! C'est un miracle, docteur, il est sauvé !

— Pourquoi tu ne nous fous pas la paix ?

— C'est une façon de parler à un vieil ami ? Et tu n'as pas répondu à ma question, mon lapin... C'était comment? Elle n'était pas trop épicée à ton goût?

— Qu'est-ce que tu délires, pauvre con?

— Oh, les insultes, maintenant. Tu me déçois, vraiment. Je n'attendais pas ça de toi.

— Tu vas nous lâcher, non? On n'a aucune envie de jouer à ton jeu de merde!

— Mais encore faudrait-il que tu aies le choix, tête de nœud... Tu ferais mieux de te préparer. Je t'attends à dix-neuf heures ce soir, à Boadilla del Monte, dans la banlieue de Madrid.

— Pas question.

— Mais t'as un bug, ma parole! T'es pas formaté correctement... Tu veux que je te mette les points sur les i? Je vous ai suivis dans la rue, je t'ai vu lui nettoyer les croûtes de nez avec ta langue, je sais où elle habite maintenant, connard!

Il y eut un silence sur la ligne, puis Andreas reprit, martelant bien son message.

— Dix-neuf heures, Boadilla del Monte.

Sinon ta princesse fera l'ouverture du J.T...

— Mais si nous cédons à son chantage, répéta Éric, rien ne l'empêchera de recommencer jusqu'à ce que l'enfer gèle.

— Ce n'est pas certain, dit Thierry, levant la tête des livres qu'il avait empruntés le matin même à la bibliothèque municipale.

— Même si nous gagnons cette bataille-là, ça ne mettra pas Andreas hors d'état de nuire. Demain, il voudra à nouveau nous affronter.

— Sans doute. Mais nous savons des choses qu'il ne sait pas. Qu'il n'a pas pris le temps d'apprendre.

— Parce que tu crois que ces bouquins vont nous sauver ?

— Je ne parle pas des livres. Les livres ne nous donnent qu'un mince avantage, en nous permettant de mieux connaître les forces en présence. Je te parle du jeu lui-même, de l'expérience que nous avons acquise. Je croyais qu'on pouvait vaincre dans un jeu de stratégie en analysant uniquement des données objectives : le terrain, les conditions météo, l'armement des forces en présence... Et effectivement, si l'on s'en tient à ces considérations, nous sommes assurés de perdre. Les franquistes sont mieux armés, ils bénéficient du soutien matériel des nazis, ils sont mieux entraînés...

— Merci de me remonter le moral...

— Mais jusqu'à ce que je sois projeté dans le jeu, j'étais passé à côté de quelque chose de fondamental. Je voyais mes unités comme des pions, que je pouvais mobiliser sur une carte, que je pouvais faire reculer ou pousser à l'abattoir selon mon bon vouloir. C'est d'ailleurs comme ça que les généraux des deux camps ont joué la guerre de 14-18...

— Joué ?

— Oui, joué... Quelle différence entre eux et nous ? Ils décidaient, depuis leur quartier général, de mobiliser telle ou telle unité d'infanterie, de pilonner la ligne de front à tel ou tel endroit. Puis ils mettaient le jeu en pause, le temps d'aller dîner et de passer une bonne nuit de sommeil...

— Qu'est-ce que tu racontes?

— C'est une façon de parler. Tout cela pour te dire ce que j'ai appris avant de mourir, ce que toi-même tu as appris sous les bombes. C'est l'une des deux armes secrètes dont nous disposons pour vaincre Andreas...

— Accouche!

— Chacune de nos unités... chacune de ces petites taches noires sur l'écran... est un être humain.

Penché au-dessus de l'ordinateur, Éric plissa les yeux:

— Attends... c'est ça ta révélation?

Thierry hocha la tête, perdu dans la contemplation de l'écran, sur lequel s'agitaient, minuscules, des colonnes de blindés encerclant Madrid.

— Je ne le crois pas... C'est avec des maximes philosophiques à la con comme celle-là que tu veux nous faire battre Andreas?

Chacune de nos unités représente un être humain? Je vais finir par croire que tu as vraiment fait une crise d'épilepsie...

– Tu n'écoutes pas ce que je dis. Tu réagis comme Andreas. Pour lui, comme pour nous jusqu'ici, ces unités sont de simples pions, qu'il manipule à sa guise. Le jeu lui permet simplement de s'incarner dans certains d'entre eux pour jouir plus intimement de la destruction qu'il engendre. D'être aux premières loges, si tu préfères. C'est ça qui l'attire... Mais nous, nous savons que même dans cet univers virtuel, chacun des personnages a une vie propre, des raisons de se battre ou de capituler. Une valeur individuelle qui ne peut pas être réduite à son nombre de points de vie, sa résistance physique ou son armement. Et cela, Andreas l'ignore...

– Génial. Je sens qu'avec ça, on bénéficie d'un avantage non négligeable sur les tanks et les bombardiers d'Andreas. Je me demande même si ce n'est pas déloyal...

Il pianota sur le clavier, et leurs troupes

apparurent à l'écran. Neuf hommes, placés côte à côte comme pour une photographie de classe. À l'exception de l'un d'entre eux, les huit autres semblaient à peine plus âgés qu'Éric et Thierry. Le cœur d'Éric se serra. Il scruta leurs visages, rendu brusquement muet par la terrible certitude que ce que venait de dire son ami était vrai.

Ils semblaient tous épuisés. Malgré leur jeune âge, une barbe gris bleuâtre mangeait le bas de leur visage, et sur leurs cheveux gras et le col de leurs vestes, les premiers flocons de neige venaient déposer comme un linceul une fine pellicule de glace. Leur équipement, si l'on pouvait affubler de ce nom le bric-à-brac de pétoires improbables et de grenades rongées par la rouille dont ils disposaient, apparaissait en bas de l'écran, dans l'attente de la répartition.

– Je me demande même si ce n'est pas déloyal d'affronter Andreas avec un tel avantage, répéta-t-il. Après tout, il ne dispose, d'après tes bouquins, que de deux bataillons aguerris et des forces blindées allemandes et italiennes…

— Tu le sais au fond de toi. Ce n'est pas cela qui comptera cette fois-ci. Franco a décidé de reprendre Boadilla, parce que c'est la dernière route qui permet aux troupes républicaines d'approvisionner Madrid assiégée. Si Boadilla tombe, Madrid tombera…

— Mais qu'est-ce que tu veux que ça change, de toute façon ? Franco va la gagner, sa guerre d'Espagne, et les nazis avec lui…

— Les seuls combats perdus d'avance sont ceux qu'on refuse de livrer…

— Ah, formidable ! Après la philosophie, les citations bouddhistes…

— Nous pouvons empêcher Andreas de prendre Boadilla, martela Thierry. Du moins nous pouvons l'empêcher de la prendre aujourd'hui.

— Et alors ! Il la prendra demain, ou après-demain ! Je l'ai lu noir sur blanc. Madrid va tomber !

— Tu oublies l'essentiel. Regarde ces

hommes. Regarde-les! répéta Thierry en saisissant Éric par le bras. Pour eux, rien n'est joué. C'est un matin de décembre, à quelques jours de Noël. Ils font partie de la 12ᵉ Brigade internationale, ou de ce qu'il en reste. Ils tiennent ce village depuis des semaines. Et ils n'ont aucune intention de le lâcher. L'Histoire leur importe peu, d'ailleurs ils ne la connaissent pas. Elle n'est pas encore écrite. Et quand bien même ils sauraient que tout est perdu d'avance... Regarde-les: est-ce qu'ils ont des têtes à reculer sans combattre?

Éric ne répondit pas, fixa leurs visages, cherchant à deviner dans lequel de ces hommes il allait s'incarner pendant le jeu.

— Et nous avons un deuxième avantage, un deuxième élément qu'Andreas ignore, murmura Thierry, comme s'il avait peur d'être entendu.

Éric se tourna vers lui, le dévisagea. Thierry gardait les yeux baissés.

— Cet après-midi, après que tu m'as appelé pour me prévenir de l'ultimatum d'Andreas, j'ai tenté de pénétrer dans le jeu, pour reconnaître le terrain, pour voir si nous ne pouvions pas dénicher des munitions supplémentaires...

— Et alors?

— Je n'ai pas pu y entrer.

— Comment ça?

— Je n'ai plus accès au jeu. Je peux mobiliser certaines unités, de l'extérieur, comme dans un jeu de stratégie normal... et encore, de manière très aléatoire. Mais je ne peux plus m'incarner dans aucun des combattants.

— Tu veux dire que je vais être obligé de l'affronter seul? C'est ça que tu appelles un avantage?

— Réfléchis un instant. Lors de ta partie précédente, tu as été totalement écrasé par Andreas, mais ton personnage a échappé au bombardement de Guernica.

— Oui...

— Moi, je suis déjà mort dans le jeu, en 1917. Et je ne peux plus y avoir accès.

Éric acquiesça, songeur.

— Ce qui veut dire, reprit Thierry lentement, comme s'il tentait de se convaincre lui-même de ce qu'il disait, que même si vous ne tenez pas Boadilla, il te suffit d'abattre le personnage dans lequel s'est incarné Andreas pour l'empêcher de reprendre une autre partie. Il n'est pas nécessaire de gagner la guerre d'Espagne, Éric, il n'est pas même besoin de tenir le village…

— Il me suffit…

— D'éliminer Andreas, termina Thierry.

Il avait neigé toute la nuit. Vers trois heures du matin, transi par le froid et l'humidité, Esmond Romilly avait été relevé de son tour de garde par Joe, un Irlandais à peine plus âgé que lui dont le titre de gloire au sein de la section tenait à sa capacité à roter en mesure l'hymne national britannique. Esmond avait laissé à Joe son fusil, un Springfield récupéré sur un déserteur fasciste, et dont l'état de marche contrastait singulièrement avec la plupart de leurs armes. Joe le lui avait échangé pour la nuit contre son propre pistolet, un

Mauser allemand datant de 1896, rouillé, dont la gâchette avait tendance à bloquer par grand froid. Esmond avait mis l'arme dans sa poche, et avait descendu lentement la colline vers le village, prenant garde, à la faible clarté de la lune, de ne pas glisser sur une plaque de verglas ou d'excréments congelés. Même du temps de sa splendeur, Boadilla del Monte n'avait jamais connu de système sanitaire ou d'évacuation d'eau, et il était maintenant douteux qu'elle en bénéficie un jour. Esmond arriva en bas de la pente sans encombre, s'avança dans les ruelles du village endormi. Il suivit le mur de l'église, criblé de balles, pénétra à l'intérieur de la sacristie en se glissant dans une ouverture béante arrachée par un obus. Il enjamba la statue anonyme, défigurée à coups de crosse, qui obstruait le passage, contourna le brasero dans lequel achevaient de se consumer les dernières planches du confessionnal. Il se glissa tout habillé sur sa couche. Ses doigts, engourdis par le froid malgré la double épaisseur des gants, pincèrent avec difficulté la couverture, qu'il ramena jusqu'à couvrir sa gorge, sans se soucier des poux qui y grouillaient par milliers. Épuisé de fatigue, il rêva. Il rêva d'un monde étrange, dans lequel il était assis à une table devant un écran sombre dans une pièce baignée de lumière.

Les fascistes attaquèrent dès l'aube. Le premier obus siffla au-dessus des tranchées, vint s'écraser sur une maison inoccupée près du Comité de Guerra. Esmond ouvrit les yeux, découvrit, à une hauteur vertigineuse, le plafond de la nef, et crut un instant qu'il tombait en chute libre vers le ciel. Il se crispa sur sa couche, et dans le silence de l'église, des cris retentirent de toute part :

— ¡Fascistas! ¡Fascistas!

Un nouvel obus tomba tout près, et l'onde de choc fit voler en éclats un des derniers vitraux intacts au-dessus de l'autel. Esmond bondit à bas de sa litière, courut jusqu'au portail et gravit à toutes jambes la colline qui le séparait des tranchées. *C'est aujourd'hui*, songea-t-il, *c'est aujourd'hui qu'ils ont choisi d'atta-quer.* Depuis trois jours déjà, des colonnes de blindés faisaient le siège du village, déployant hommes et matériel sur une ligne de front à moins de huit cents mètres de leurs tranchées. Esmond arriva au sommet de la colline, et fut stupéfait par la métamorphose qu'avait opérée la neige pendant la nuit. Les champs dévastés, noyés de boue et de matières fécales, avaient été recouverts d'une couche immaculée. La forêt sauvage qui protégeait une partie de la route en contrebas avait pris des allures de carte postale. Fugitivement, il songea que c'était le 20 décembre, que dans cinq jours à peine ses parents se réuniraient autour du sapin, dans la grande maison à l'est de Londres, et, devant la cheminée encombrée de cartes de vœux d'un autre âge, prieraient pour le salut de leur fils. *Si je meurs aujourd'hui,* songea Esmond, *ils n'en sauront rien avant plu-sieurs semaines, si jamais ils l'apprennent.* Il n'avait pas pensé à la mort depuis longtemps. Ses principaux soucis, ces trois derniers mois, avaient été, par ordre décroissant, le bois de chauffage, la nourriture, la vermine, l'huile pour maintenir son fusil en état, et enfin l'ennemi, en bon dernier. La deuxième section du bataillon avait atteint Boadilla au début du mois de novembre, sans rencontrer de résistance, et avait tenu la route principale, avec l'aide des miliciens du village, sans enregistrer de pertes, en dehors de deux hommes blessés par l'explosion de cartouches défectueuses dans leurs propres fusils. Esmond n'avait pas tiré une seule balle depuis son arrivée à Boadilla. Il n'avait eu qu'une seule crainte, être blessé par accident avant d'avoir affronté l'ennemi. À la différence de beaucoup de miliciens, pour qui la simple possession d'une arme était déjà une occasion de réjouissances, Esmond avait pris grand soin, au cours des deux derniers mois, d'acquérir un matériel fiable. Lors d'une sortie sous couvert du brouillard dans le no man's land qui séparait l'ancienne route et leur poste de commandement à l'orée du bois, il était tombé, presque par hasard, sur un déserteur, un paysan d'une cinquantaine d'années, enrôlé de force dans les rangs nationalistes, qui lui avait donné son fusil. Suivi par son «prisonnier», il était remonté jusqu'à la route, à quelques dizaines de mètres des lignes ennemies, et avait réussi à récupérer l'objet de sa convoitise, qu'il avait repéré depuis plusieurs jours déjà sans pouvoir l'atteindre : une cartouchière abandonnée dans le fossé pendant une retraite précipitée par un bataillon ennemi. Il avait pris des risques qu'en toute autre circonstance il aurait jugés insensés, parce que l'expérience lui avait enseigné que les cartouches qui leur avaient été attribuées lors de leur enrôlement dans les rangs républicains n'offraient aucune sécurité. Les cartouches de l'ennemi, en particulier les cartouches allemandes, étaient considérées comme un véritable trésor de guerre.

Sa main gauche se glissa dans sa poche, se crispa autour du magasin métallique qu'il gardait toujours en réserve. Au même instant, il réalisa avec abattement qu'il avait confié son fusil à Joe. Il atteignit les tranchées, se jeta en avant pour éviter la rafale d'une mitrailleuse ennemie. Malgré la neige, l'odeur aigre d'urine et de merde lui emplit la gorge, manquant comme à chaque fois de le faire vomir. *Je ne m'y habituerai jamais*, pensa-t-il, et l'idée lui vint, saugrenue, que c'était littéralement possible, au propre comme au figuré, qu'il n'aurait plus jamais l'occasion de s'y habituer. Il se releva. La tranchée était vide. Du village, derrière lui, montait une clameur. Il jeta un regard en arrière. Une marée humaine, femmes armées de fourches ou de drapeaux noirs, paysans brandissant des carabines, gravissait la colline. Deux obus de mortier s'abattirent au beau milieu de cette foule disparate, éclaboussant la neige de débris humains, de terre et de sang.

Esmond fit face aux lignes ennemies, vit en contrebas, sous couvert des arbres, les huit autres membres de sa section. Il jaillit de la tranchée et courut les rejoindre. Des balles sifflèrent autour de lui, qu'il évita en perdant l'équilibre dans la neige. La main crispée sur le Mauser de Joe, il dévala la pente sur le dos. Comme il retrouvait ses esprits, il vit Jurgen Messer quitter le couvert du bois et, d'un geste ample, détendre le bras pour propulser dans les airs un disque métallique noir. La grenade décrivit un arc de cercle majestueux, et comme la première balle cueillait Jurgen en pleine poitrine, comme il effectuait un entrechat dans la neige pour tenter de retrouver l'équilibre, elle tomba droit sur l'emplacement du mortier fasciste. Pendant l'espace d'un instant, il ne se passa rien, et le cœur d'Esmond se serra. Il vit tomber Jurgen Messer, l'Allemand, l'anti-nazi qui était venu combattre au côté des républicains, et songea que son ami était mort pour rien. Puis, inexplicablement, la grenade décida d'exploser, avec une déflagration sourde, pulvérisant le mortier et ses serviteurs. Profitant du nuage de fumée, la section tout entière se jeta à l'assaut des deux mitrailleuses, progressant jusqu'à la route avant d'être clouée sur place par le feu ennemi. Le bruit était assourdissant. Un orage de plomb semblait s'être abattu sur eux. De temps en temps, au milieu du fracas des détonations, il entendait une injure, lancée par un milicien surexcité derrière eux:

— ¡ *Fascistas* ! ¡ *Maricones* !

Pour ne pas céder à la terreur, il reprit le cri, à pleins poumons, courut jusqu'au trou d'obus dans lequel Joe s'était adossé.

— La mitrailleuse, dit Joe.

Ils échangèrent un bref regard fiévreux, puis chargèrent en avant. Le temps sembla s'arrêter. Ce n'était plus que cris, explosions soudaines. Le ciel chavirait au-dessus de leurs têtes. Lorsque le vertige passa, Esmond était agenouillé près des débris de la première mitrailleuse allemande, sa baïonnette enfoncée jusqu'à la garde dans le corps d'un phalangiste. Il repoussa le cadavre de son ennemi, eut le temps de remarquer que l'homme, d'une trentaine d'années, était vêtu d'un vrai uniforme, d'une veste de treillis impeccable et d'un calot noirâtre sur lequel était épinglée une tête de mort grimaçante surmontant une croix gammée. Esmond releva la tête pour s'adresser à Joe. Son camarade était agenouillé à mi-pente. Entre ses mains, le Springfield pendait vers le sol. Sa tête pendait sur sa poitrine, à un angle effroyable. Pendant un instant, Esmond ne pensa plus à rien qu'à ceci: pas aux balles, ni à l'endroit où ils étaient, ni même au fait que Joe était mort. Il pensa que ce n'était pas normal, que ce n'était pas concevable, que la tête de Joe ne devait pas rester dans cette position. Il rampa jusqu'à son ami, mit la main sur sa joue comme pour l'aider à redresser la tête. Une rafale toucha Joe à la poitrine, les plaqua tous deux au sol. Reprenant ses esprits, Esmond serra la crosse du fusil dans ses mains, l'arracha aux doigts morts de Joe.

– Demi-tour! hurlait Tich Adderley. Tous! Vite! Dépêchez-vous! Faites demi-tour!

Esmond se releva, battit en retraite. Il ne s'arrêta pas en atteignant l'orée du bois. Il ne s'arrêta pas quand Tich, adressant de grands gestes frénétiques à ses camarades, fut touché par une balle en pleine tête et s'effondra. Il ne s'arrêta même pas lorsque, piétinant les cadavres par dizaines, il déboula dans la rue principale de Boadilla. Les Allemands s'étaient ressaisis, avaient mis en route deux autres batteries de mortier et ajusté leurs tirs. Le village s'effondrait autour de lui. Un souvenir étrange l'assaillit alors, comme, hébété, il titubait sur la grand-place. Le souvenir d'un autre village, comme celui-ci, écrasé sous un bombardement. Et une pensée absurde. *Il faut que je le tue, il faut que je le démasque et que je le tue.*

Les fascistes avaient pris le village, ou ce qu'il en restait. Au loin, on entendait encore des coups de feu, des explosions. Mais Esmond doutait que des renforts puissent arriver de Brunete ou de Madrid à temps pour secourir les derniers résistants. Il s'allongea sur le plancher de la tour, rampa sous la cloche de bronze jusqu'à atteindre la rambarde métallique, et leva la tête. Une quinzaine de légion-naires et de phalangistes avaient investi la grand-place, fouillaient dans les décombres. L'un d'eux poussa du pied une vieille femme en noir recroquevillée sur le sol. Elle gémit. L'homme se pencha, posa le canon de son Lüger sur sa nuque et l'acheva. Esmond prit le temps de détendre ses muscles contracturés, posa le fusil en équilibre sur la rambarde du clocher. L'homme apparut dans son viseur. Esmond le vit se retourner, échanger une plai-santerie avec un de ses compagnons. Puis la balle coupa court à ses ricanements. Trois autres hommes tombèrent encore sur la grand-place avant que les fascistes aient réussi à se mettre à couvert. Esmond se rejeta en arrière, espérant contre toute attente qu'ils ne l'avaient pas encore repéré. De toute façon, songea-t-il, à moins de tirer au canon sur le clocher, ils avaient peu de chance de le délo-ger de son perchoir.

C'est alors qu'il entendit un long siffle-ment à l'intérieur de l'église, comme si un dragon asthmatique avait repris son souffle. Un silence, puis des pas dans l'escalier de la tour. Il avait été localisé. Il descendit précautionneusement quelques marches, entendit encore le même soufflement. Puis un hurlement, et le bruit précipité d'une bousculade dans l'escalier. Quelques rescapés avaient dû trouver refuge dans l'église avec lui, se trouvaient maintenant traqués par les fascistes à l'intérieur même de la tour. L'idée vint à Esmond qu'il n'avait peut-être pas été découvert, qu'il lui suffirait probablement de rester immobile pour... Puis l'enfant cria, juste en dessous. Un cri de terreur pure, qui le paralysa. Et à nouveau le souffle, plus puissant maintenant, plus menaçant. Esmond se força à descendre quelques marches, à la rencontre du dragon. Une voix résonna, une voix que, étrangement, il crut reconnaître :

– *Pio, pio, pio...* petit, petit, petit...

Le cœur d'Esmond battait à tout rompre dans sa poitrine. Il déboucha sur le palier au premier étage de la tour, découvrit, terrée dans un coin sombre derrière un amas de tuyaux d'orgue aplatis, une fillette d'une dizaine d'années.

– *Pio, pio, pio…* reprit la voix, et le dragon souffla une langue de flammes dans l'escalier.

Le brasier roula dans l'air à quelques mètres d'Esmond, grillant ses sourcils, roussissant les poils de sa veste en laine. Une odeur de grillé emplit ses narines, en même temps qu'un rire bref, un rire dément, sans joie, résonnait dans l'escalier. *Et avant même de l'avoir vu, Esmond sut que c'était lui.*

La fillette se blottit dans l'ombre, son regard implorant braqué sur Esmond. Il aurait voulu trouver la force de lui sourire, de lui adresser un petit signe de fraternité, mais la terreur l'en empêchait. Il écarquilla les yeux, pointa le canon du Springfield dans l'escalier et s'adossa à la paroi de pierre. Si le dragon crachait une nouvelle langue de feu, il mourrait carbonisé avant d'avoir pu tirer une seule balle. Mais c'était le seul moyen d'avoir une chance de le blesser, de le tuer peut-être.

La sueur collait la crosse à sa main. Il fit jouer son index sur la gâchette, attendit.

— *Pio, pio, pio...* reprit la voix, tremblant d'une jouissance mal dissimulée.

Instinctivement, Esmond se baissa, et la langue de feu passa au-dessus de lui. Il tira au jugé. La balle frappa le mur, ricocha. Le dragon hoqueta, ravalant ses flammes. Il y eut une commotion dans l'escalier, le bruit d'une chute mal amortie, puis un juron sonore :

— *Scheise !...*

C'était la même voix, qui s'exprimait à présent dans sa langue natale.

— *Ich komm' dich holen, mein Schatz...* Je viens te chercher, mon trésor, susurra la voix, et tandis qu'Esmond battait en retraite, le brasier se ralluma, grillant les planches de l'escalier, calcinant les murs.

Il eut juste le temps de faire signe à l'enfant de rester cachée, gravit quatre à quatre les marches du dernier étage. Le brasier grondait de manière ininterrompue maintenant. Esmond s'arc-bouta sur les dernières marches, tâchant de répéter sa prouesse, mais la chaleur l'obligea à reculer, à se protéger dans le renfoncement du mur. La sueur coulait sur son front. Il la balaya du revers de la main, arrachant sans y prendre garde une touffe de cheveux et des lambeaux de peau morte. Il regarda le ciel, pour la dernière fois, et vit que le soleil perçait enfin, à travers les nuages. Loin, très loin, il entendit le bruit des combats qui redoublaient d'intensité. Puis les flammes oblitérèrent le ciel, envahissant le sommet de la tour, illuminant la cloche de bronze d'un halo rougeâtre. Esmond pivota sur lui-même, surgissant au sommet de l'escalier. À travers les vagues de chaleur qui soudain l'asphyxiaient, il entrevit le visage carré de son adversaire, le béret noir à tête de mort, les yeux farouches, exorbités. Le jet de flammes passa à quelques centimètres de sa hanche. Profitant de la surprise, Esmond saisit le cône métallique du lance-flammes, le repoussa vers le haut. Une douleur intense le traversa comme le métal surchauffé grillait la paume de sa main. Il hurla, et son hurlement se mêla à celui de l'homme en noir, qui, transformé en torche vive, bascula en arrière dans l'escalier. Esmond tomba à terre, sa main calcinée pendant au bout de son bras, inutilisable.

Il dut perdre connaissance, car lorsqu'il rouvrit les yeux, des hommes en armes étaient agenouillés autour de lui, et on bandait sa main. Il entrevit le visage de la fillette penché au-dessus du sien, et comme il ouvrait la bouche pour tenter de parler, un homme lui fit signe de se reposer :

— Vous êtes en de bonnes mains. Les fascistes se sont repliés.

— Mes camarades... demanda Esmond dans un souffle.

L'homme hésita, puis, baissant les yeux, fit non de la tête.

La main droite d'Éric, crispée sur la souris,

le lançait. Il la massa sans bien réaliser tout d'abord où il se trouvait. Thierry lui posa la main sur l'épaule, désignant du doigt l'écran, sur lequel s'affichait une série de chiffres, de pourcentages. Éric ferma les yeux, fut pendant encore quelques instants Esmond Romilly, dix-neuf ans, seul survivant de la deuxième section du bataillon de la 12e Brigade internationale Thaelmann.

— Tu as gagné, répéta Thierry, incrédule. Tu as gagné, et tu as éliminé Andreas…

— Je sais, dit Éric.

Il ouvrit ses yeux brillants de larmes, s'arracha à cette vie qui avait été la sienne, cette vie qui, il en avait l'intuition, se terminerait au-dessus de l'Atlantique en 1942 à bord d'un avion de la Canadian Air Force, et se jura de vivre vieux, en mémoire d'Esmond Romilly, de Tich Adderley et de tous les autres.

Il éteignit l'ordinateur alors que le sigle de son unité apparaissait à l'écran.

— Quelle heure est-il? demanda-t-il enfin.

— Vingt heures trente, dit Thierry.

— Téléphone à Andreas, pour savoir comment il va.

Ils essayèrent, mais personne ne répondit.

Un jour, il leur montrerait.

Il leur montrerait à tous, de quoi il était capable.

Et il effacerait d'un geste leur sourire niais, leurs rires de joie, et jusqu'au souvenir de sa défaite.

Il avait fallu à Andreas des semaines pour se remettre de sa dernière partie. Pour réussir à chasser de sa mémoire ces secondes d'horreur, pendant lesquelles les flammes l'avaient englouti, calcinant ses lèvres, ses paupières, s'insinuant à l'intérieur de ses poumons. Il était mort, enfin, recroquevillé au pied de l'escalier dans l'église détruite, et s'était réveillé, allongé à même le sol dans sa chambre, baignant dans ses larmes et son urine. Sur l'écran, le condor achevait de se consumer.

Dans les jours qui suivirent, Éric essaya à plusieurs reprises de lui parler, mais Andreas ne lui laissa pas l'occasion de jouir de son triomphe, coupant court à toute tentative de conversation. Éric l'avait humilié, avait pris plaisir à le détruire. Un jour, Andreas se vengerait. En attendant, il feignait l'indifférence, le détachement. Il les avait suivis de loin, il les avait épiés, sans jamais être repéré. Éric et Thierry étaient toujours fourrés ensemble, maintenant, et s'il les voyait encore échanger des disquettes de jeux de temps à autre en classe, il les avait surpris plus d'une fois en longue conversation autour d'un livre, à la bibliothèque. De temps en temps, le weekend, ils sortaient tous les quatre, et Andreas les suivait à distance, jouissant de leur ignorance. Gilles, le frère d'Éric, avançait sans rien voir, les yeux dans ceux de la princesse bosniouk. Ils étaient faits l'un pour l'autre, ces deux-là, c'était écœurant. Et Éric ne semblait pas s'ombrager de cet amour naissant. Normal, il n'avait jamais eu ce qu'il fallait pour retenir une fille, et certainement pas suffisamment de cran pour casser la gueule de son frère...

Des fantasmes de meurtre agitaient Andreas. Il s'imaginait les pulvérisant tous les quatre au volant d'une voiture de course, ou bien encore les éliminant l'un après l'autre, afin de pouvoir savourer pleinement le supplice des survivants. Par qui commencerait-il ? Par Thierry, sans doute… Ou par la princesse bosniouk…

Il les détestait, et nourrissait sa rancune de tout ce qu'il pouvait voir ou entendre, à la télévision, à la radio. Tel homme politique vitupérait les étrangers, responsables des échecs économiques de la France et du chômage… Telle actrice autrefois célèbre, passée à la défense des causes animales, dénonçait les musulmans, envahisseurs fanatiques, égorgeurs de moutons… Dans les tracts et magazines que ramenait son père à la maison, on parlait inlassablement des justes violences à venir, de la suprématie de la race blanche, de la vengeance prochaine d'une nation bafouée… Andreas se repaissait de cette haine, peu à peu convaincu de sa justification par le cortège de faits et d'événements racistes qu'il déchiffrait comme autant d'appels à l'action. Foyers immigrés incendiés en Allemagne, expulsions expéditives en France... Il vivait tout cela comme les signes avant-coureurs d'un grand chaos à venir, un chaos auquel il espérait prendre part.

Pour calmer ses nerfs, il passa de longues heures à hanter les couloirs de DOOM, de RISE OF THE TRIAD, éclaboussant l'écran de sang et de viscères. Mais bien vite tout cela n'eut plus aucun sens. Andreas, le Fragmeister, avait goûté à l'expérience ultime, au jeu de la guerre, et ces piètres répliques pâlissaient en comparaison. Plus que tout, il en voulait à Éric de lui avoir définitivement interdit l'accès à ce monde fascinant dont il avait été, pendant quelques jours, le maître incontesté.

Vint le jour où, n'y tenant plus, il commença à confectionner sa bombe.

Méthodiquement, il en amassa les composants, prenant soin de ne pas laisser de trace dans les divers magasins où il achetait séparément des produits de grande consommation qui n'éveillaient pas l'attention.

Puis Andreas débuta ses expérimentations, avec des charges d'abord faibles, puis de plus en plus importantes. Jusque-là, il s'était contenté de s'amuser en forêt avec des bricolages sommaires. Mais cette fois-ci, il s'agissait d'autre chose, d'un acte qui retentirait à la une des journaux et des magazines. Avec un pétard, un sucre et une cigarette, il avait réussi à immobiliser le lycée entier pendant une demi-journée. Personne ne pouvait imaginer les répercussions de son grand-œuvre.

Il mettait la dernière main à son système d'allumage, tard le soir, dans sa chambre, lorsqu'un violent orage à l'extérieur coupa toute l'électricité dans le quartier. Prenant garde de ne pas utiliser de flamme vive dans sa chambre, où régnait maintenant en permanence une odeur d'essence et de produits chimiques dont son père ne s'était pas ému outre mesure, Andreas tâtonna jusqu'à la porte, descendit au rez-de-chaussée pour remettre en marche le courant électrique. À sa deuxième tentative, la lumière revint. Il remonta dans sa chambre, s'y enferma à nouveau... L'ordinateur, sur lequel il avait noté pêle-mêle ses pensées depuis plusieurs semaines, était allumé. Il fixa l'écran, sur lequel rougeoyaient des flammes. Une voix puissante, familière, retentit à ses oreilles :

— *Choisissez votre mode de jeu...*

Abasourdi, Andreas s'assit à la table, débarrassa le plan de travail et saisit la souris. À plusieurs reprises, il avait tenté de relancer l'Expérience ultime, allant jusqu'à réinstaller le jeu à partir de la disquette initiale. Rien n'y avait fait. Il n'avait plus jamais eu accès aux écrans de démarrage du jeu. Et voilà que brusquement, ce qu'il avait espéré plus que tout se réalisait. Il ne s'embarrassa pas de questions, ne s'étonna même pas d'entendre résonner la voix alors que ses enceintes acoustiques avaient rendu l'âme deux mois plus tôt, un soir qu'il avait poussé à fond un disque pirate d'un groupe de nazi rock hollandais. Il cliqua sur l'écran, choisissant d'emblée le mode Ultime, et un menu d'options apparut à l'écran. Il cliqua sur 20ᵉ siècle, puis sur la période 1936-1939.

– *Accès refusé*, dit la voix.

Inquiet, et furieux de se voir rappeler son échec passé, Andreas choisit 1939-1945. À son grand soulagement, un nouveau menu apparut, déroulant des noms de lieux, de batailles, de faits de guerre, qui lui arrachèrent un grognement de profonde satisfaction. Pearl Harbor, Stalingrad, Varsovie, Dachau... À cette énumération, Andreas bouillait d'impatience. Il cliqua fébrilement pour choisir son unité, voyant défiler à l'écran des dizaines d'uniformes: SA, SS, Wehrmacht, légion Condor, Gestapo...

Lorsqu'il eut fait son choix, l'unité centrale cliqueta, affichant à l'écran une ruelle parisienne au petit matin. Au loin, on entendait la rumeur d'un attroupement, des sifflets de police, le klaxon d'un autobus. Andreas tra-

versa la ruelle pour se contempler dans la
vitrine d'une boutique de vêtements. Il était
grand, le cheveu court, vêtu d'un imperméable
noir et de bottes. Son cœur battait fort dans sa
poitrine. Avec une intense jubilation, il se mit
en marche, s'arrêtant juste devant un kiosque
le temps de déchiffrer la date à la une des journaux. 16 juillet 1942... Lorsqu'il arriva sur la
grand-place quadrillée par la police, il ne put
retenir sa jubilation. Des autobus de la RATP
étaient garés sur le trottoir. Des hommes, des
femmes, des enfants sages s'y entassaient, laissant sur les vitres la buée de leurs respirations
mêlées et les traces de leurs doigts moites de
sueur. Les policiers vérifiaient les papiers
d'identité de toutes les personnes prises dans la
nasse, séparant silencieusement, consciencieu-
sement, la foule en deux groupes. La plupart
de ceux qui échappaient à la rafle se pressaient
de rentrer chez eux, disparaissant derrière les
portes cochères en baissant les yeux. Seuls, ici
ou là, quelques passants s'étaient arrêtés et
fixaient la scène comme pour s'en imprégner.

Parmi ceux-ci, Andreas remarqua un jeune homme d'une quinzaine d'années, habillé d'un blouson, qui scrutait avec ferveur les visages écrasés derrière les vitres. Il se glissa contre le mur, s'approcha lentement. Le garçon dut se sentir observé, se retourna et le repéra. Andreas baissa le regard un instant, fit semblant de s'intéresser à une vitrine. Lorsqu'il releva les yeux, sa proie était loin. Le garçon, en retrait des forces de police, s'élançait dans une impasse. Andreas se mit à courir, le vit pénétrer dans un immeuble minable. Il le poursuivit, grimpa quatre à quatre les marches dans l'obscurité. Ils arrivèrent au dernier étage, et malgré la saleté incrustée dans les vitres des vasistas, Andreas vit la peur dans les yeux de sa victime. *J'adore ce jeu*, pensa-t-il.

— *Ausweis, bitte...* dit-il en savourant chaque mot.

Le garçon sortit d'une poche de son blouson ses papiers d'identité, les tendit à Andreas, qui sourit en découvrant la mention « juif » sur le document.

– *Warum tragen Sie nicht Ihren Stern?* demanda-t-il d'un ton qui laissait transparaître son triomphe.

Le garçon ne répondit pas. Il restait immobile, tremblant, les yeux baissés. Un moment, Andreas fut saisi par une intuition : il avait déjà vu ce garçon, mais où ? Ce n'était pas Thierry, ni Éric, ni Gilles… Pourtant, il était certain…

– Pourquoi ne portez-vous pas votre étoile ? insista-t-il en français.

Et comme l'autre ne répondait pas, il l'empoigna par le bras, le poussa devant lui dans l'escalier en maugréant :

– *Verdammter Jude…*

Il escorta sa prise jusqu'à la grand-place, jetant des regards haineux aux rares témoins qui faisaient mine de manifester leur désapprobation, et s'approcha d'un fonctionnaire de police :

– Monsieur l'agent, cet homme essayait de vous échapper…

Il tendit les papiers du garçon, attendit que le policier les déchiffre :

– Mais il a à peine quinze ans…

— Vous n'êtes pas au courant des ordres! aboya Andreas. On embarque tout le monde, même les enfants.

Il rit, et devant ce rire le policier recula. Andreas passa en force, traînant toujours le garçon par la manche. Il s'avança jusqu'à la plate-forme déjà bondée d'un autobus, y hissa le garçon.

— Bon voyage, cria-t-il suffisamment fort pour être entendu par-delà le bruit de la foule.

— Ça ne finira jamais... lui murmura le garçon en guise d'adieu, et tandis que l'autobus démarrait, s'éloignait, Andreas resta planté sur le trottoir, interdit.

C'était le vieillard, songea-t-il... *le vieillard de la boutique...* Il essayait encore de comprendre ce que cela signifiait lorsqu'une main tapota son épaule. Il se retourna et...

— Vos papiers, monsieur, s'il vous plaît...

Andreas hésita, médusé par cette méprise, puis choisit de sourire. Il se redressa, sortit de sa poche ses documents administratifs, jouissant par avance de la tête qu'allait faire le fonctionnaire en réalisant son erreur. Il tendit poliment ses papiers, presque avec obséquiosité.

— Pourquoi ne portez-vous pas votre étoile ? demanda le policier.

Andreas ouvrit la bouche pour parler, mais seul un hoquet étranglé lui échappa. Le rouge lui monta aux joues.

— Mais vous êtes complètement à côté de la plaque... Vous me prenez pour un juif, c'est ça ? Je suis membre de la SS... Je suis là pour superviser...

— Trêve de plaisanteries, monsieur Salaun, dit le policier. Veuillez me suivre...

— Mais je vous dis que je fais partie de la SS !

— Bien essayé, répondit le policier, qu'entouraient trois de ses collègues. Mais ceci est une opération exclusive de la police française, et ces papiers sont de toute évidence des faux. Montez sans faire d'histoires...

— Mais je ne suis pas juif, cria Andreas, tandis qu'on le saisissait, qu'on le poussait à bord au milieu d'un flot d'humanité brisée.

Il écumait de rage, et de honte, à l'idée d'être pris pour un juif par ces imbéciles.

Puis l'autobus démarra, et tandis qu'Andreas entamait la première partie de son long voyage vers la nuit, la terreur le submergea. La terreur, effaçant la honte, qui bientôt ne fut plus qu'un souvenir, et le moindre de ses soucis.